bibliocollège

La Farce de Maître Pathelin

Adaptation en français moderne, notes,
questionnaires et dossier Bibliocollège
par Fanny MARIN,
certifiée de Lettres modernes,
professeur en collège

Crédits photographiques

p. 5 : illustration pour *La Farce de Maître Pathelin*, édition Marion de Malaunoy, vers 1500. BNF, photo Hachette Livre. **p. 7 :** illustration pour *La Farce de Maître Pathelin*, incunable, 2ᵉ moitié du xvᵉ siècle. Photo Jean-Loup Charmet. **p. 14 :** photo Hachette Livre. **p. 19 :** photo Hachette Livre. **pp. 28, 43, 56 :** photos Agence de presse Bernand. **p. 63 :** photo Josse. **p. 69 :** photo Hachette Livre. **p. 74 :** photo Hachette Livre. **p. 86 :** photo Jean-Loup Charmet. **p. 108 :** BNF, photo Hachette Livre. **p. 110** et **p. 114** (détail) : photo Jean-Loup Charmet. **p. 121 :** BNF, photo Hachette Livre.

Conception graphique
Couverture : *Laurent Carré*
Intérieur : *ELSE*

Mise en page
Médiamax

Illustration des questionnaires
Harvey Stevenson

ISBN : 978-2-01-167957-4

Sommaire

Introduction

Depuis bien longtemps, l'avocat Pathelin n'a plus aucun client à défendre. Guillemette, sa femme, prétend qu'il est surtout passé maître dans l'art de tromper les gens. Et justement, voilà qu'il décide de se procurer du tissu, sans débourser le moindre sou… Comment va-t-il s'y prendre pour berner le drapier Guillaume, si méfiant, et pas moins malhonnête que lui ? Et le berger Thibaud, qui semble si vulnérable, saura-t-il échapper à Guillaume qui l'accuse d'assommer ses moutons, et à Pathelin qui veut lui faire payer ses services d'avocat ? Tous se retrouvent face à un juge pressé, qui ne comprend rien à ces histoires de fous, pourtant si simples. Comment tout cela va-t-il finir ?

Des scènes de marchandage et de procès, des bons tours joués à l'un ou à l'autre, des trompeurs trompés, et toujours du rire et de l'enjouement : voilà ce que nous offre cette petite pièce de théâtre. *La Farce de Maître Pathelin* est une pièce comique, et, dans ce genre, le

chef-d'œuvre du Moyen Âge. Nous ne connaissons ni son auteur, ni sa date de création exacte, que l'on situe à peu près vers 1460. En revanche, l'on sait avec certitude que son succès fut immédiat et durable. Les dramaturges des siècles suivants, dont le grand Molière, et plus près de nous Alfred Jarry avec l'horrible Père Ubu, ont repris ses recettes comiques.

Ainsi cette œuvre, dont la seule intention était de faire rire en décrivant les mœurs des bourgeois et du peuple, est parvenue jusqu'à nous. Aujourd'hui, elle nous renseigne sur le mode de vie et les habitudes de cette époque reculée. Elle peint aussi les vices des hommes qui, cinq siècles plus tard, semblent avoir si peu changé. Nous voyons les marchands tromper leurs clients sur la quantité et le prix de la marchandise, et exploiter leurs employés. Âpres au gain, les avocats se soucient peu de la justesse des causes qu'ils défendent, et avec les juges, toujours trop pressés d'en finir, ce sont de drôles de représentants de la justice. Nous sommes séduits par le rythme vif de la pièce et par ses personnages corrompus ou ridicules, qui s'affrontent dans un monde dur, mais dont la farce préfère rire et se moquer.

PERSONNAGES

MAÎTRE PIERRE PATHELIN, avocat.

GUILLEMETTE, femme de Pathelin.

GUILLAUME JOCEAULME, drapier.

THIBAUD L'AGNELET, berger.

LE JUGE.

Scène 1

MAÎTRE PATHELIN,
GUILLEMETTE

Chez Pathelin.

PATHELIN – Par la Vierge Marie ! Guillemette, malgré le mal que je me donne pour enjôler[1] les gens et glaner[2] des affaires, nous ne récoltons rien ; j'ai pourtant connu une époque où j'exerçais mon métier d'avocat.

5 GUILLEMETTE – Par Notre-Dame, invoquée parmi les avocats, j'y pensais justement ! Mais aujourd'hui, on ne vous estime plus aussi habile qu'autrefois, bien loin de là. J'ai connu une époque où tout le monde vous recherchait pour[3] gagner son procès ; à présent, en tous 10 lieux, tout le monde vous surnomme « l'avocat sans cause ».

PATHELIN – Pourtant, et je ne dis pas cela pour me vanter, il n'y a personne de plus habile que moi, dans toute la juridiction du tribunal[4], excepté le maire.

15 GUILLEMETTE – C'est parce qu'il a lu le grimoire[5], et fait de longues études.

PATHELIN – Citez-moi quelqu'un dont je ne sois capable de défendre la cause, pour peu que je m'y intéresse. Et même si je n'ai jamais étudié, je peux me vanter de 20 chanter au lutrin[6] avec notre prêtre aussi bien que si

notes

1. **enjôler :** tromper par de belles paroles.
2. **glaner :** recueillir par-ci par-là.
3. **vous recherchait pour :** faisait appel à vous pour.

4. **juridiction du tribunal :** institution chargée de rendre la justice.
5. **grimoire :** livre de sorcellerie. Le terme est employé par jeu de mots pour « grammaire », ou textes

juridiques : le maire a lu des textes juridiques, mais peut-être aussi des livres de sorcellerie...
6. **lutrin :** pupitre où le prêtre pose le livre de chants.

j'avais suivi des cours pendant des années… autant d'années que Charlemagne est resté en Espagne[1].

GUILLEMETTE – Qu'est-ce que cela nous rapporte ? Rien du tout ! Nous mourons tout simplement de faim. Nos vête-
25   ments sont tout râpés, et nous ne savons comment nous procurer du tissu pour nous en faire d'autres. Alors ! À quoi nous sert-elle votre fameuse science ?

PATHELIN – Taisez-vous ! En conscience[2], si je me donne la peine d'y réfléchir, je saurai bien où en trouver, des robes
30   et des chaperons[3] ! Si Dieu le veut, nous nous tirerons vite d'affaire, et tout rentrera dans l'ordre. Que diable ! Dieu fait des miracles en moins d'un instant ! Si je décide d'employer mon savoir-faire, on ne trouvera pas mon pareil.

GUILLEMETTE – Non, par saint Jacques ! Pas s'il s'agit de
35   tromper. Vous êtes un maître en la matière !

PATHELIN – Par le Dieu qui me fit naître, dites plutôt maître en l'art de plaider !

GUILLEMETTE – Ma foi, non ! Maître en l'art de tromper ! Pour sûr ! Je le sais bien, puisqu'en vérité, sans instruction
40   et sans le moindre bon sens, vous passez pour l'un des hommes les plus habiles de la paroisse[4].

PATHELIN – Personne ne se connaît mieux que moi au métier d'avocat.

---

notes

1. autant d'années que […] en Espagne : Charlemagne est resté sept ans en Espagne, selon *La Chanson de Roland*, à laquelle il est fait allusion ici. Pathelin chante aussi bien que s'il avait fait sept ans d'études !

2. en conscience : en vérité.

3. des robes et des chaperons : hommes et femmes portaient des robes. Le chaperon est un chapeau, souvent entouré d'une écharpe retombant sur l'épaule.

4. paroisse : partie d'une ville qui dépend du même curé.

GUILLEMETTE – Grand Dieu ! Au métier de tromper, oui !
45 Du moins, c'est la réputation que vous avez.

PATHELIN – C'est aussi celle de ceux qui s'habillent de beau
velours et de riche soie, qui prétendent être avocats, et ne
le sont pas. Mais finissons ce bavardage : je veux aller à la
foire[1].

50 GUILLEMETTE – À la foire ?

PATHELIN – Par saint Jean, oui, vraiment ! *Il fredonne :* À la
foire, gentille marchande… *De nouveau en parlant :* Cela
vous déplaît-il si je marchande du drap[2], ou quelque autre
babiole utile pour notre ménage ? Nous n'avons pas un
55 seul vêtement valable.

GUILLEMETTE – Vous n'avez pas le moindre sou. Comment
allez-vous faire ?

PATHELIN – Vous ne le savez pas, belle dame ? Si vous ne
recevez suffisamment de tissu pour nous deux, n'hésitez
60 pas à me traiter de menteur. Quelle couleur préférez-
vous ? Un gris vert ? une brunette[3] ? ou un autre tissu ?
Je dois le savoir.

GUILLEMETTE – Ce que vous pourrez avoir. Qui emprunte
ne choisit pas.

65 PATHELIN, *en comptant sur ses doigts* – Pour vous, deux aunes[4]
et demie, et pour moi, trois, et même quatre ; ce qui fait…

GUILLEMETTE – Vous comptez large. Qui diable vous les
prêtera ?

notes

1. **foire :** grand marché où l'on vend toutes sortes de marchandises.
2. **drap :** ici, « tissu ».

3. **un gris vert ? une brunette ?** : le gris vert est un tissu de couleur grise. La brunette est une étoffe de qualité, souvent bleu foncé.

4. **aune :** ancienne mesure de longueur, valant environ 1,20 m.

PATHELIN – Qu'est-ce que cela peut vous faire ? Oui, c'est
70   sûr, on me les prêtera, à rendre au jour du Jugement
dernier[1], et certainement pas avant !

GUILLEMETTE – Alors, allez-y, mon ami ! Si c'est comme ça,
quelqu'un sera dupé.

PATHELIN – J'achèterai du tissu gris ou vert, et pour une che-
75   mise, Guillemette, il me faut trois quarts d'une aune de
brunette, ou même une aune entière.

GUILLEMETTE – Que Dieu me vienne en aide ! Vraiment !
Allez ! Et n'oubliez pas de trinquer, si vous rencontrez
Martin Crédit[2].

80   PATHELIN – Surveillez la maison.

Il sort.

GUILLEMETTE – Ah ! Mon Dieu ! Quel marchand va-t-il
trouver… ! Pourvu qu'il ne s'aperçoive de rien !

notes

1. *à rendre au jour du*
Jugement dernier : Pathelin
paiera à la fin du monde,
lorsque Dieu jugera les
hommes et les enverra au
paradis ou en enfer. Il ne
paiera donc jamais.

2. *Martin Crédit :* personnage
imaginaire qui ferait crédit à
Pathelin.

Au fil du texte

Questions sur la scène 1 (pages 8 à 11)

AVEZ-VOUS BIEN LU ?

1. En vous appuyant sur le texte, dites où et quand se situe l'action.

2. D'après les deux premières tirades (l. 1 à 11), quel est le problème actuel de Pathelin ?

3. Quelle est la situation financière du couple ?

4. Donnez deux raisons qui justifient que Pathelin soit appelé « *maître* ».

5. Où Maître Pathelin décide-t-il de se rendre, et pourquoi ?

> **homonymes :** mots de prononciation identique et de sens différent.

ÉTUDIER LE VOCABULAIRE

6. Le nom « *Pathelin* » est resté dans la langue sous la forme de l'adjectif « *patelin, -ine* ».
a) D'après ce que vous savez de l'activité réelle de Pathelin, quel est le sens de cet adjectif ?
b) Donnez un homonyme★ de « *patelin* », et employez-le dans une phrase de votre création.

7. En vous aidant d'un dictionnaire, cochez le ou les mots qui peuvent remplacer celui souligné dans la phrase, sans que le sens de celle-ci change :

« *Guillemette, malgré le mal que je me donne pour enjôler les gens et glaner des affaires, nous ne récoltons rien* » (l. 1 à 3).

☐ flatter   ☐ attraper
☐ envoûter   ☐ séduire
☐ duper

8. À quel champ lexical★ appartient l'expression « *défendre la cause* » (l. 18) ? Relevez les termes du même champ lexical présents dans le texte.

ÉTUDIER LA FONCTION DE LA SCÈNE DANS LA PIÈCE

9. Qu'est-ce qui permet de dire que Pathelin est le personnage principal de la pièce ?

10. Lignes 1 à 11 : qu'apprend le spectateur sur le passé de Maître Pathelin ?

11. En vous aidant des réponses aux questions 2 et 3, résumez ce que vous savez de la situation présente du couple.

12. Relevez les éléments qui laissent deviner la suite de l'histoire.

13. D'après les réponses apportées aux questions précédentes, définissez la fonction d'une scène d'exposition.

champ lexical : ensemble des mots se rapportant à une même idée.

type de phrase : on classe les phrases en trois types : déclaratives, interrogatives et impératives.

ÉTUDIER LE GENRE

14. À quel milieu social appartiennent les personnages ?

15. « *Ma foi, non ! Maître en l'art de tromper ! Pour sûr !* » (l. 38-39) : quel est le type des phrases★ employées ?
Relevez d'autres phrases du même type dans le texte. Que peut-on dire du ton de la scène ?

16. D'après cette première scène, quel est le sujet de la pièce ?

À VOS PLUMES !

17. D'après ce que vous savez du personnage de Pathelin, décrivez son aspect physique et ses vêtements dans un texte de 10 à 15 lignes.

18. Devenez metteur en scène ! L'action se déroule dans le salon de Maître Pathelin et de Guillemette. Décrivez le décor de la scène. Parmi les acteurs que vous connaissez, choisissez ceux qui vous semblent convenir le mieux aux rôles de Pathelin et de Guillemette, et proposez des jeux de scène (mouvements, gestes, mimiques des acteurs) appropriés au texte.

Pathelin et Guillemette. Illustration de l'édition Pierre Levet, vers 1490. BNF.

Scène 2

Scène 2

PATHELIN, LE DRAPIER GUILLAUME
JOCEAULME

La scène se déroule devant l'étal du drapier.

PATHELIN – N'est-ce pas lui, là-bas ? Je me le demande. Mais oui, c'est bien lui ! Il s'occupe de draperie. *Pathelin salue le drapier.* Que Dieu soit avec vous !

LE DRAPIER GUILLAUME – Qu'il vous bénisse !

5 PATHELIN – Dieu a donc exaucé ma prière, car j'avais grande envie de vous voir. Comment va la santé ? Êtes-vous en pleine forme, Guillaume ?

LE DRAPIER – Parbleu, oui !

PATHELIN – Allons, donnez-moi votre main. *Pathelin lui prend*
10 *la main.* Comment cela va-t-il ?

LE DRAPIER – Bien, vraiment bien. À votre service. Et vous ?

PATHELIN – Par saint Pierre l'apôtre, comme quelqu'un qui vous est entièrement dévoué. Et alors, vous avez la belle vie ?

LE DRAPIER – Eh, oui ! Mais je vous prie de croire que pour
15 nous, marchands, tout ne va pas toujours comme on veut.

PATHELIN – Comment vont les affaires ? Vous permettent-elles de vous habiller et de vous nourrir correctement ?

LE DRAPIER – Eh, mon Dieu, mon cher maître, je ne sais. C'est toujours : « Hue ! En avant ! »

20 PATHELIN – Ah ! Comme votre père – que Dieu ait son âme – était un habile homme ! Sainte Vierge ! Il me semble vraiment que c'est vous-même, en personne. Que c'était un bon marchand, et avisé ! Parbleu, vous lui ressemblez de visage comme son vrai portrait ! Si Dieu a
25 jamais eu pitié d'un homme, qu'Il lui accorde le plein pardon de ses fautes.

LE DRAPIER – Amen ! Par la grâce de Dieu, à nous aussi, quand il lui plaira !

PATHELIN – Ma foi, souvent il m'a prédit en détail la vie d'au-
30 jourd'hui. Je m'en suis souvenu bien des fois. De son temps, il passait pour un brave homme.

LE DRAPIER – Asseyez-vous, cher monsieur ! Il est grand temps que je vous y invite, mais voilà comme je suis aimable !

35 **PATHELIN** – Ça va bien ainsi. Par le Corps du Christ, il avait…

LE DRAPIER – J'insiste, asseyez-vous !

PATHELIN – Volontiers. *Il s'assied.* « Ah, me disait-il, que de fabuleuses merveilles vous verrez ! » Mon Dieu, je vous
40 jure que des oreilles, du nez, de la bouche et des yeux, jamais un enfant ne ressembla plus à son père que vous. Cette fossette au menton, vraiment, c'est vous tout craché ! Et si quelqu'un disait à votre mère que vous n'êtes pas le fils de votre père, c'est qu'il chercherait vraiment la dispute.
45 Sans mentir, je n'arrive pas à m'imaginer comment Nature, en ses œuvres, créa deux visages aussi ressemblants, chacun avec les mêmes traits. Car quoi ? Il n'y aucune dif- férence entre vous deux, comme si l'on vous avait crachés tous les deux contre un mur, du même jet et de la même
50 manière. Au fait, monsieur, la bonne Laurence, votre chère tante, est-elle morte ?

LE DRAPIER – Diable non !

PATHELIN – Comme je l'ai connue grande, droite et aimable ! Par la très sainte Mère de Dieu, vos silhouettes se ressem-
55 blent comme si l'on vous avait sculpté dans la neige. Selon moi, il n'y a pas dans ce pays de famille où l'on se ressemble davantage. Et plus je vous observe… *Observant le drapier*

encore plus intensément : Par Dieu le Père, vous voici, et voici votre père ! Sans aucun doute, vous vous ressemblez
60 comme deux gouttes d'eau ! Quel valeureux jeune homme c'était ! Un bon et brave homme, et il vendait ses marchandises à crédit à qui le souhaitait. Que Dieu lui pardonne ! Moi, il avait toujours l'habitude de m'accueillir de très bon cœur, avec un beau sourire. Plût à Jésus-Christ
65 que ce qu'il y a de pire au monde lui ressemblât[1] ! On ne se volerait pas, on ne se détrousserait[2] pas les uns les autres comme on fait.

> *Il se lève et touche une pièce d'étoffe.*

Que ce drap-ci est de bonne qualité ! Comme il est
70 soyeux, doux, souple !

LE DRAPIER – Je l'ai fait faire tout exprès avec la laine de mes brebis.

PATHELIN – Eh bien ! Quel chef vous faites ! Sinon vous ne seriez pas le digne fils de votre père. Vous ne cessez donc
75 jamais, jamais de travailler !

LE DRAPIER – Que voulez-vous ? Si l'on veut bien vivre, il faut veiller aux affaires, et se donner du mal.

PATHELIN, *touchant une autre pièce de tissu* – Celui-ci est-il teint ? Il est épais comme du cuir de Cordoue[3] !

80 LE DRAPIER – C'est un excellent drap de Rouen, tissé avec soin, vous avez ma parole.

---

notes

1. *Plût à Jésus-Christ [...]*
lui ressemblât ! : si
seulement les pires des
hommes lui ressemblaient !

2. *on ne se détrousserait pas :*
on ne se volerait pas.

3. *cuir de Cordoue :* célèbre
cuir en provenance de la ville
de Cordoue, en Espagne. On
appelle ainsi tout cuir de
bonne qualité.

PATHELIN – Mais vraiment, je suis bien attrapé, car par la Passion de Notre-Seigneur, je n'avais pas l'intention d'acheter du tissu quand je suis arrivé. J'avais mis de côté quatre-vingts écus pour rembourser un emprunt, mais j'en suis sûr, je vais vous en donner vingt ou trente, car la couleur me plaît tellement que j'en meurs d'envie.

LE DRAPIER – Des écus, vraiment ? se pourrait-il que ceux que vous devez rembourser acceptent de la monnaie[1] ?

PATHELIN – Oui, bien sûr, si je le désire. Pour moi, quand il s'agit de payer, tout se vaut.

Il touche une troisième pièce de tissu.

Quel est ce drap-ci ? À dire vrai, plus je le regarde, et plus il me rend fou. Oui, je dois en avoir une cotte[2] pour moi, et une pour ma femme également.

LE DRAPIER – En vérité, ce drap est extrêmement cher. Mais si vous le souhaitez, vous en aurez. Dix ou vingt francs y sont bien vite employés !

PATHELIN – Peu importe, si c'est le prix à payer ! Il me reste encore quelques petites pièces que ni mon père ni ma mère n'ont jamais vues.

LE DRAPIER – Dieu soit loué ! Par saint Pierre, cela ne me déplairait pas, au contraire.

PATHELIN – Bref, j'ai une terrible envie de ce drap. Il m'en faut.

---

notes

1. acceptent de la monnaie : sous-entendu, la monnaie qui resterait après avoir acheté le drap avec les quatre-vingts écus.

2. cotte : tunique que les hommes et les femmes portaient sous leurs autres vêtements.

Pathelin
et le drapier.
Illustration
de l'édition
Pierre Levet,
vers 1490.
BNF.

LE DRAPIER – Fort bien ! D'abord, il faut déterminer combien vous en voulez. Tout est à votre disposition, tout ce qu'il y a dans la pile, même si vous n'aviez pas le moindre sou.

110 PATHELIN – Je le sais bien, et vous en remercie.

LE DRAPIER – Souhaitez-vous de ce tissu bleu clair que voici ?

PATHELIN – Allons ! Combien me coûtera la première aune ? Dieu sera payé en premier, c'est normal : voici un denier[1].
115 Ne faisons rien sans y associer le nom de Dieu.

LE DRAPIER – Parbleu, voilà qui est parlé en honnête homme, et j'en suis tout heureux ! Voulez-vous connaître mon dernier prix ?

PATHELIN – Oui.

120 LE DRAPIER – Chaque aune vous coûtera vingt-quatre sous.

PATHELIN – Ça jamais ! Vingt-quatre sous ? Sainte Vierge !

LE DRAPIER – Sur mon âme, c'est ce qu'il m'a coûté ! Et il m'en faut autant, si vous le prenez.

PATHELIN – Diable ! C'est trop !

125 LE DRAPIER – Ah ! Vous ne savez pas à quel point le tissu a augmenté ! Tout le bétail a péri cet hiver à cause du grand froid.

PATHELIN – Vingt sous ! Vingt sous !

LE DRAPIER – Eh ! Je vous jure que j'en aurai le prix que j'en
130 demande. Attendez donc jusqu'à samedi : vous verrez bien

notes

1. denier : monnaie de faible valeur. Le denier à Dieu était symboliquement donné par l'acheteur pour ouvrir ou conclure une affaire. Ce denier allait à une œuvre de bienfaisance.

ce qu'il vaut ! La toison[1], dont d'habitude il y avait à profusion, m'a coûté, à la Sainte-Madeleine[2], huit blancs[3], parole d'honneur, alors que je la payais d'ordinaire quatre.

135 PATHELIN – Palsambleu[4], ne discutons plus puisqu'il en est ainsi. Marché conclu. Allons ! Mesurez !

LE DRAPIER – Mais je vous demande combien vous en voulez ?

PATHELIN – C'est très facile à savoir : en quelle largeur est le tissu ?

140 LE DRAPIER – Celle de Bruxelles[5].

PATHELIN – Trois aunes pour moi, et pour elle, deux et demie, car elle est grande. Cela fait six aunes… C'est bien ça ? Mais non, ce n'est pas ça. Que je suis bête !

LE DRAPIER – Il ne manque qu'une demi-aune pour avoir
145 tout juste les six.

PATHELIN – J'arrondis à six, car il me faut aussi un chaperon.

LE DRAPIER – Tenez le tissu, nous allons mesurer. Elles y sont sans faute. *Ils mesurent ensemble.* Et d'une, et de deux, et de trois… quatre, cinq et six.

150 PATHELIN – Ventre saint Pierre ! C'est ric-rac[6] !

LE DRAPIER – Voulez-vous que je mesure une seconde fois ?

PATHELIN – Non, par mes tripes ! Il y a toujours un peu de perte ou de profit sur la marchandise. À combien se monte le tout ?

---

notes

1. toison : pelage laineux des brebis.

2. à la Sainte-Madeleine : le 22 juillet.

3. blanc : petite pièce d'argent valant cinq deniers.

Le prix double car il y a moins de laine.

4. palsambleu : pour éviter de prononcer des paroles sacrilèges, le juron « par le sang de Dieu »

a été transformé en *palsambleu*.

5. celle de Bruxelles : deux aunes, soit le double de la largeur habituelle.

6. ric-rac : tout juste.

LE DRAPIER – Le compte sera vite fait : à vingt-quatre sous
155 l'aune, cela fait neuf francs les six.

PATHELIN – Hum ! Pour une fois ! Cela fait six écus ?

LE DRAPIER – Mon Dieu, oui, exactement.

PATHELIN – Eh bien, monsieur, acceptez-vous de me faire
crédit jusqu'à tantôt, quand vous viendrez chez moi ? *Le*
160 *drapier fronce les sourcils.* Pas exactement « faire crédit » : vous
serez payé chez moi en or ou en argent.

LE DRAPIER – Sainte Vierge ! Cela me ferait un long détour
de passer par là.

PATHELIN – Eh ! Par saint Gilles, ce n'est pas parole
165 d'Évangile [1] qui sort là de votre bouche ! C'est bien dit :
vous feriez un détour ! C'est ça ! Vous voudriez surtout ne
jamais trouver la moindre occasion de venir prendre un
verre chez moi. Mais cette fois, vous y viendrez.

LE DRAPIER – Eh ! Par saint Jacques, je ne fais guère autre
170 chose que boire ! J'irai. Mais vous savez bien qu'il n'est pas
bon de faire crédit à la première vente de la journée.

PATHELIN – Vous estimerez-vous satisfait si, pour cette première vente, je vous règle avec des écus d'or, et non avec
de la menue monnaie ? Et parbleu [2], vous mangerez aussi
175 de l'oie que ma femme est en train de faire rôtir.

LE DRAPIER, *à part* – Vraiment, cet homme me rend fou.
À Pathelin. Partez devant. Allez ! Si c'est comme ça, je
viendrai, et j'apporterai le drap.

---

notes

1. *ce n'est pas parole
d'Évangile :* c'est un
mensonge.

2. *parbleu :* de même que
palsambleu, forme atténuée
de « par Dieu ».

PATHELIN – Certainement pas ! Que me pèsera-t-il sous le
180   bras ? Rien du tout !

LE DRAPIER – Ne vous inquiétez pas ! Il vaut mieux que je
le porte moi-même, c'est plus convenable.

PATHELIN – Que sainte Madeleine me fasse passer un mauvais quart d'heure si je vous laisse jamais vous donner ce
185   mal ! Voilà qui est très bien dit : sous mon bras ! *Il met le
tissu sous sa robe.* Cela me fera une belle bosse ! Ah, c'est très
bien ainsi ! Vous ne partirez pas de chez moi sans qu'on ait
bien bu, et qu'on se soit bien régalé.

LE DRAPIER – Je vous prie de me donner mon argent dès
190   mon arrivée.

PATHELIN – Oui, parbleu ! Ou plutôt, non ! Pas avant que
vous n'ayez pris un bon repas. Je m'en voudrais même
d'avoir sur moi de quoi vous payer. Au moins viendrez-
vous goûter de mon vin. Feu votre père[1], quand il passait,
195   criait bien haut : « Eh ! Compère ! », ou « Que racontes-
tu ? », ou encore « Que fais-tu ? ». Mais vous autres riches,
vous ne faites pas grand cas[2] des pauvres gens !

LE DRAPIER – Mais, palsambleu ! C'est nous qui sommes les
plus pauvres !

200 **PATHELIN** – Ouais ! Adieu, adieu ! Rendez-vous tout à
l'heure à l'endroit convenu. Et nous boirons bien, je vous
le garantis !

LE DRAPIER – D'accord. Partez devant, et que j'aie mon or !

---

notes

1. feu votre père : votre père
qui est mort.

**2. vous ne faites pas grand
cas :** vous vous préoccupez
peu.

PATHELIN, *en partant* – Votre or ! Allons donc ! Votre or ! Je
205   n'ai jamais manqué de parole ! *À part.* Non mais ! Son or !
Puisse-t-il être pendu ! Hum ! Diable, il ne m'a pas vendu
son drap à mon prix, mais au sien. Cependant, c'est au
mien qu'il sera payé ! Il veut de l'or ? On va lui en fabri-
quer ! Dieu fasse qu'il coure sans s'arrêter jusqu'au règle-
210   ment complet de sa vente ! Par saint Jean, il ferait plus de
chemin qu'il n'y en a d'ici à Pampelune[1] !

LE DRAPIER, *resté seul* – De toute l'année, ils ne verront ni le
soleil ni la lune, ces écus qu'il va me donner, à moins qu'on
me les vole. Ainsi, il n'est si habile acheteur qui ne trouve
215   vendeur plus habile encore ! Le trompeur que voilà est
bien sot d'avoir acheté vingt-quatre sous l'aune un tissu
qui n'en vaut pas vingt.

notes

1. Pampelune : ville du nord
de l'Espagne.

Au fil du texte

AVEZ-VOUS BIEN LU ?

1. Après la scène d'exposition*, pourquoi peut-on dire que la scène 2 enclenche l'action* de la pièce ?

2. Quel est le but de Pathelin lorsqu'il aborde le drapier ?

3. Lignes 117 à 135 : à quoi se livrent Pathelin et Guillaume ?

4. Lignes 179 à 188 : pourquoi Pathelin insiste-t-il tellement pour porter lui-même le drap ?

5. Quelle est la situation à la fin de la scène ?

ÉTUDIER LE VOCABULAIRE ET LA GRAMMAIRE

6. En nommant les différents éléments, décomposez les mots « *drapier* » et « *draperie* ». Quelle est la signification de ces deux termes ? Donnez une autre série de trois termes construite de la même manière que « *drap* », « *drapier* », « *draperie* ».

7. Lignes 22-23 : « *Que c'était un bon marchand, et avisé !* » Cochez le ou les mots qui peuvent remplacer celui souligné, sans que le sens de la phrase change.
☐ réfléchi   ☐ prudent
☐ audacieux   ☐ irréprochable

8. Ligne 130 : « *Attendez donc jusqu'à samedi* ». Quel est le mode* du verbe ?
Des lignes 129 à 149, relevez les verbes employés au même mode. Justifiez l'emploi fréquent de ce mode ici.

scène d'exposition : **scène de début fournissant au spectateur les informations nécessaires à la compréhension de la pièce : situation passée et présente des personnages, temps et lieu de l'action.**

action : **ensemble des événements formant le commencement, le développement et le dénouement d'une pièce.**

ÉTUDIER LE DISCOURS

9. Quels sont les arguments* que Guillaume oppose à Pathelin lorsque celui-ci lui demande de lui faire crédit ?

10. Quels sont les arguments grâce auxquels Pathelin le convainc ?

11. Quel est l'argument avancé par Guillaume pour porter lui-même le drap chez Pathelin ? Que pensez-vous de cet argument ?

12. Quelle raison lui oppose Pathelin ?

ÉTUDIER UN THÈME : LA PAROLE TROMPEUSE

13. Observez le volume des répliques des deux personnages des lignes 1 à 105. Qui mène le jeu ?

14. Relevez dans l'ordre les éléments grâce auxquels Pathelin gagne progressivement la confiance du drapier.

15. Selon vous, pourquoi Pathelin laisse-t-il au drapier le dernier mot dans le marchandage du prix du tissu ?

16. Lignes 192-193 : « *Je m'en voudrais même d'avoir sur moi de quoi vous payer.* » Que veut dire Pathelin ? Le drapier et le spectateur comprennent-ils la phrase de la même façon ?

ÉTUDIER LE GENRE : UN PERSONNAGE TYPIQUE DE LA FARCE, LE MARCHAND

17. À plusieurs reprises, il est question de la situation financière du drapier et de la marche de ses affaires. Qu'en dit le drapier ?

mode : les modes du verbe sont l'indicatif, le subjonctif, et l'impératif ; l'infinitif, le participe et le gérondif.

argument : raison que l'on avance pour convaincre.

18. « *Mais, palsambleu ! C'est nous qui sommes les plus pauvres !* » (l. 198-199). Que pensez-vous de cette affirmation de Guillaume ?

19. Comment comprenez-vous la phrase : « *De toute l'année, ils ne verront ni le soleil ni la lune, ces écus qu'il va me donner* » (l. 212-213) ? Quel trait de caractère révèle-t-elle ?

20. Qu'apprend-on à l'extrême fin de la scène ? Quel est l'effet produit sur le spectateur ?

À VOS PLUMES !

21. Après avoir relu attentivement la scène, décrivez le plus précisément possible le caractère du drapier dans un texte de 10 à 15 lignes.

22. En veillant à employer des verbes à l'impératif, imaginez la scène se déroulant chez Pathelin lorsque Guillaume vient réclamer son argent. Le caractère des personnages doit être conforme à ce que vous avez observé dans les deux premières scènes. Surtout, n'oubliez pas que nous sommes au théâtre ! Des didascalies* et un type de mise en page sont attendus.

didascalies : indications de mise en scène fournies par l'auteur (décor, gestes des personnages, ton des répliques).

LIRE L'IMAGE

23. Quels rapprochements et quelles différences établissez-vous entre la gravure (p. 19) et la photographie prise lors d'une représentation (p. 28) ?

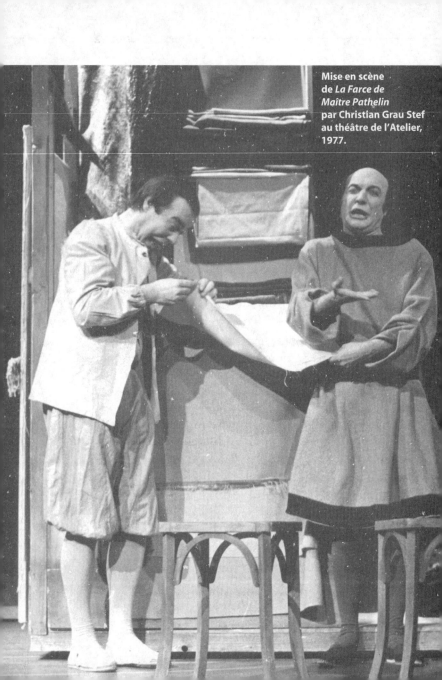

Mise en scène de *La Farce de Maître Pathelin* par Christian Grau Stef au théâtre de l'Atelier, 1977.

Scène 3

MAÎTRE PATHELIN,
GUILLEMETTE

Chez Pathelin.

PATHELIN – Est-ce que j'en ai ?

GUILLEMETTE – De quoi ?

PATHELIN – Qu'est devenue votre vieille houppelande[1] ?

GUILLEMETTE – Est-il bien nécessaire d'en parler ? Que
5   voulez-vous en faire ?

PATHELIN – Rien, rien. Est-ce que j'en ai ? Je l'avais bien dit.
Il montre le tissu. Est-ce bien de ce drap-ci qu'il fallait ?

GUILLEMETTE – Sainte Vierge ! Mais j'en donnerais mon âme
au diable, c'est là le résultat de quelque tromperie ! Grand
10   Dieu ! D'où nous vient cette aubaine ? Hélas, hélas ! Qui
va le payer ?

PATHELIN – Vous demandez qui ? Par saint Jean, il est déjà
payé. Le marchand qui me l'a vendu, ma chère, n'est pas
fou. Que je sois pendu par le cou, s'il n'est saigné à blanc…
15   comme un sac de plâtre ! Ce maudit et rusé coquin est
bien roulé.

GUILLEMETTE – Combien coûte-t-il donc ?

PATHELIN – Je ne dois rien. Il est payé, ne vous inquiétez pas.

GUILLEMETTE – Vous n'aviez pas le moindre sou. Et il est
20   payé ? Avec quel argent ?

notes

1. houppelande : vêtement
long et large, ouvert devant,
et que l'on porte sur
les autres.

PATHELIN – Eh, palsambleu ! Bien sûr que j'avais de l'argent, madame. J'avais un sou de Paris[1].

GUILLEMETTE – C'est du beau travail ! Une belle obligation ou quelque reconnaissance de dette[2] ont fait l'affaire ; c'est
25 ainsi que vous l'avez obtenu. Et quand arrivera l'échéance[3], on viendra chez nous, on saisira nos biens, on nous enlèvera tout ce que nous avons !

PATHELIN – Palsambleu, tout ce tissu ne m'a coûté qu'un denier.

30 **GUILLEMETTE** – Vierge Marie, priez pour nous ! Un denier seulement ? C'est impossible !

PATHELIN – Vous pouvez bien m'arracher un œil s'il en a reçu ou en reçoit jamais davantage. Il aura beau chanter.

GUILLEMETTE – Et qui est-ce ?

35 **PATHELIN** – Un certain Guillaume, dont le nom de famille est Joceaulme, si vous voulez savoir.

GUILLEMETTE – Mais comment l'avez-vous obtenu pour un seul denier ? Par quel tour ?

PATHELIN – Ce fut grâce au denier à Dieu. Et encore, si j'avais
40 dit « Topez-là, marché conclu », par ces seuls mots j'aurais gardé mon denier. Alors, n'est-ce pas là du beau travail ? Dieu et lui se partageront ce denier-là, si bon leur semble, car c'est tout ce qu'ils auront. Ils pourront toujours s'égosiller, cris et lamentations n'y feront rien.

---

notes

1. un sou de Paris : pièce de très faible valeur, ne pouvant évidemment pas suffire à l'achat du tissu.

2. une belle obligation ou quelque reconnaissance de dette : papiers d'après lesquels un homme déclare devoir une certaine somme d'argent.

3. échéance : moment où il faudra rembourser l'argent dû.

45 **GUILLEMETTE** – Comment a-t-il pu accepter de le vendre à crédit, lui qui est si méfiant ?

PATHELIN – Par la Vierge Marie, je lui ai si bien doré son blason[1] qu'il me l'a presque donné. Je lui glissais[2] que feu son père avait été un si brave homme ! « Ah, mon frère[3] !
50 m'écriai-je, quels bons parents que les vôtres ! Vous appartenez, ajoutai-je, à la famille la plus estimable des environs. » Mais je veux bien consacrer ma vie entière à Dieu, s'il n'est issu de la pire engeance[4], la plus fieffée[5] canaille, à mon avis, qui soit dans ce royaume ! « Ah, Guillaume mon ami,
55 dis-je, comme vous ressemblez à votre brave père aussi bien du visage que du reste ! » Dieu sait comme j'échafaudais mon piège et, de temps à autre, glissais dans mes propos des considérations sur ses draps ! « Et puis, Sainte Vierge ! m'exclamai-je, avec quelle gentillesse, avec quelle simpli-
60 cité il faisait crédit sur ses marchandises ! C'était vous tout craché ! » ajoutai-je. Et pourtant, on aurait arraché les dents au vilain marsouin, feu son père, et à son babouin de fils, avant qu'ils ne vous prêtent ça *(Pathelin fait claquer son ongle contre ses dents)* ou prononcent une parole aimable.
65 Mais enfin, j'ai tant parlé et tant brodé[6] qu'il m'en a vendu six aunes.

GUILLEMETTE – Pour de vrai, sans jamais avoir à le payer ?

PATHELIN – C'est ainsi que vous devez le comprendre. Payer ? On lui paiera le diable !

---

notes

1. doré son blason : fait des éloges.

2. je lui glissais : je lui disais en passant.

3. frère : emploi figuré. Il n'y a aucun rapport de parenté. C'est une appellation affectueuse.

4. engeance : ensemble de personnes méprisables.

5. la plus fieffée canaille : la plus parfaite canaille.

6. brodé : employé au sens figuré d'« exagérer à plaisir ».

70 GUILLEMETTE – Vous m'avez rappelé la fable du corbeau qui était perché sur une croix de cinq à six toises[1] de haut, et tenait en son bec un fromage. Survint un renard qui, apercevant le fromage, se demanda : « Comment l'avoir ? » Alors il se plaça en dessous du corbeau. « Ah ! lui dit-il,
75 que tu as le corps beau, que ton chant est mélodieux ! » Le corbeau, dans sa sottise, entendant vanter ainsi son chant, ouvrit le bec pour chanter. Son fromage tombe à terre, maître Renard vous le saisit à belles dents, et l'emporte. Ainsi en est-il, je l'assure, de ce drap. Vous avez piégé et
80 attrapé le marchand grâce à vos flatteries et à vos belles paroles, comme fit Renard pour le fromage. C'est en faisant la grimace[2] que vous avez obtenu le drap.

PATHELIN – Il doit venir manger de l'oie, et voici ce que nous devrons faire. Je suis sûr qu'il viendra brailler pour recevoir
85 promptement[3] son argent. Mais j'ai imaginé un bon tour. Je vais me mettre au lit, comme si j'étais malade. Quand il arrivera, vous lui direz : « Ah, parlez à voix basse ! » et, la mine pâle, vous gémirez. « Hélas ! direz-vous, voici deux mois, ou six semaines, qu'il est malade. » Et s'il vous
90 répond : « Balivernes[4] oui ! Il sort à l'instant de chez moi ! » vous répliquerez : « Hélas ! Ce n'est pas le moment de plaisanter. » Et laissez-moi lui jouer un air de ma façon[5], car il ne tirera rien d'autre de moi.

GUILLEMETTE – Sur mon âme, je vous jure que je jouerai très
95 bien mon rôle. Mais si vous retombez dans un mauvais pas[6]

notes

1. *toise* : ancienne mesure de longueur valant environ deux mètres.

2. *en faisant la grimace* : en étant hypocrite.

3. *promptement* : rapidement.

4. *balivernes* : sottises.

5. *un air de ma façon* : la comédie.

6. *un mauvais pas* : une situation dangereuse.

et que la justice vous attrape à nouveau, je crains que vous ne le payiez le double de la dernière fois !

PATHELIN – Allons, silence ! Je sais parfaitement ce que je fais. Il faut agir comme je l'ai dit.

100 GUILLEMETTE – Pour l'amour de Dieu, souvenez-vous du samedi où l'on vous mit au pilori[1]. Souvenez-vous que tout le monde vous hua[2] pour votre fourberie.

PATHELIN – Cessez donc ce bavardage ! Il va arriver : nous ne prenons pas garde à l'heure. Il nous faut conserver ce drap.
105 Je vais me mettre au lit.

GUILLEMETTE – Allez-y donc.

PATHELIN – Surtout ne riez pas !

GUILLEMETTE – Certainement pas ! Au contraire, je vais pleurer à chaudes larmes.

110 PATHELIN – Nous devons tous les deux bien tenir notre rôle, afin qu'il ne s'aperçoive de rien.

notes

1. *pilori :* poteau où l'on attachait les condamnés pour les exposer aux reproches et aux injures du public. C'était le samedi, jour de foire, parce qu'il y avait plus de monde.

2. *hua :* poussa des cris hostiles contre vous.

Au fil du texte

AVEZ-VOUS BIEN LU ?

1. Lignes 1 à 44 : quels sont les deux éléments essentiels dont Pathelin informe Guillemette ?

2. Lignes 45 à 82 : que fait Pathelin ?

3. Lignes 83 à 111 : que font Pathelin et Guillemette ? Cochez la réponse correcte :
a) Ils se moquent de la naïveté du drapier. ☐
b) Pathelin décide de la manière d'agir quand le drapier arrivera. ☐
c) Guillemette rappelle à Pathelin ce qui l'attend s'il se fait prendre, et le convainc de rendre le drap. ☐
d) Pathelin poursuit le récit de ce qui s'est passé entre lui et le drapier. ☐

4. Quel est le rapport entre l'histoire de Pathelin et du drapier et la fable racontée par Guillemette aux lignes 70 à 82 ? Recherchez la moralité de cette fable chez La Fontaine.

5. Quel est le stratagème★ imaginé par Pathelin pour ne pas payer le drapier quand il viendra réclamer son argent ?

> **stratagème :** ruse habile.
>
> **synonyme :** mot ou expression ayant le même sens ou un sens voisin.

ÉTUDIER LE VOCABULAIRE ET LA GRAMMAIRE

6. Guillemette demande à Pathelin : « *Mais comment l'avez-vous obtenu pour un seul denier ? Par quel tour ?* » (l. 37-38). Remplacez le mot « *tour* » par un synonyme★.

7. « *D'où nous vient cette aubaine ?* » (l. 10). Remplacez le mot « *aubaine* » par le ou les termes équivalents.

☐ étoffe ☐ malheur
☐ trouvaille ☐ chance

8. Relevez les temps verbaux employés par Guillemette aux lignes 70 à 78, et justifiez leur emploi. Quels sont les temps du récit★ ?

9. « *Que je sois pendu par le cou, s'il n'est saigné à blanc... comme un sac de plâtre !* » (l. 14-15).
a) Expliquez l'expression « *être saigné à blanc* ».
b) Donnez la nature et la fonction de « *comme un sac de plâtre* ».
c) Pourquoi Pathelin ajoute-t-il cette précision ?

temps du récit : **temps verbaux employés pour raconter une histoire.**

ÉTUDIER LE DISCOURS

10. Le récit de l'entrevue entre Pathelin et Guillaume est-il nécessaire à la progression de l'action ?

11. « *Ah, mon frère ! m'écriai-je, quels bons parents que les vôtres ! Vous appartenez, ajoutai-je, à la famille la plus estimable des environs* » (l. 49 à 51).
a) Qu'est-ce qui distingue ces phrases de la précédente et de la suivante ?
b) Que fait Pathelin lorsqu'il prononce ces paroles ?
c) À qui s'adresse-t-il ?

12. Relevez les passages de même type dans la suite du texte.

13. Transformez la phrase de la question 11 de façon qu'elle ne se différencie plus de celle qui la précède.

ÉTUDIER LE GENRE : LES CARACTÈRES

14. Relevez les passages dans lesquels Guillemette critique son mari, et ceux dans lesquels elle apparaît d'accord avec lui.

15. Reportez-vous au groupement de textes. En quoi l'attitude de Guillemette est-elle comparable à celle de la Mère Ubu face aux crimes du Père Ubu (p. 119) ?

ÉTUDIER UN PROCÉDÉ : LE THÉÂTRE DANS LE THÉÂTRE

champ lexical : ensemble des mots se rapportant à une même idée.

16. Lignes 83 à 111 : relevez les termes et expressions appartenant au champ lexical★ du théâtre.

17. Que fait Pathelin aux lignes 86 à 93 ?

discours direct : les paroles sont rapportées telles qu'elles ont été prononcées, entre guillemets.

18. En termes de théâtre, quelles fonctions occupe ici Pathelin par rapport aux spectateurs d'une part, et par rapport à Guillemette d'autre part ?

À VOS PLUMES !

discours indirect : les paroles rapportées s'intègrent dans le reste du récit.

19. Pendant ce temps, Guillaume raconte à un autre drapier son entrevue avec Pathelin, et la manière dont il lui a vendu le drap en le trompant sur le prix réel. Tantôt il rapporte directement (discours direct★) ce qu'il a dit à Pathelin, tantôt il le rapporte indirectement (discours indirect★). Imaginez le récit effectué du point de vue★ de Guillaume à cet autre drapier.

point de vue : regard à travers lequel sont rapportés les événements d'un récit.

20. Comme Pathelin à Guillemette, Guillaume s'amuse à faire à sa femme un portrait de l'avocat qu'il prend pour un idiot. Imaginez ce portrait, en insistant d'une manière plaisante sur les aspects négatifs de Pathelin.

Scène 4   LE DRAPIER

Devant la boutique du drapier.

LE DRAPIER – Je crois qu'il est temps pour moi de boire un verre avant de me mettre en route. Ah, mais non, par saint Mathelin[1] ! Il est convenu que j'aille boire du vin et manger de l'oie chez maître Pierre Pathelin. En plus, j'y recevrai de l'argent. Ce sera toujours autant de pris sans rien débourser[2]. J'y vais de ce pas, car à l'heure qu'il est, je ne vendrai plus rien.

Il ferme sa boutique et s'en va.

Scène 5   LE DRAPIER, GUILLEMETTE, PATHELIN

Devant, puis dans la maison de Pathelin.

LE DRAPIER – Hola ! Maître Pierre !

GUILLEMETTE, *entrouvrant la porte* – Hélas, monsieur, pour l'amour de Dieu, si vous avez quelque chose à dire, parlez à voix basse !

LE DRAPIER – Que Dieu vous protège, madame !

GUILLEMETTE – Ah ! À voix basse !

LE DRAPIER – Hein ? Quoi ?

---

notes

1. saint Mathelin : ou saint Mathelin. Le mal de saint Mathelin est la folie, que ce saint avait la réputation

de guérir. Comme le montre la scène suivante, il n'est pas invoqué ici par hasard.

2. débourser : sortir de ma bourse, de mon porte-monnaie.

GUILLEMETTE – Je vous en conjure, sur mon âme…

LE DRAPIER – Où est-il ?

10 **GUILLEMETTE** – Hélas ! Où peut-il être ?

LE DRAPIER – Qui ?…

GUILLEMETTE – Ah ! Quelle mauvaise plaisanterie ! Mon maître, évidemment ! Où est-il ? Puisse Dieu, dans sa bonté, le savoir ! Là où il est depuis onze semaines, le
15 pauvre martyr, sans bouger !

LE DRAPIER – Mais qui ?…

GUILLEMETTE – Pardonnez-moi, je n'ose pas parler fort. Je crois qu'il repose. Il s'est un peu assoupi. Hélas ! Il est si accablé, le pauvre homme !

20 **LE DRAPIER** – Qui ?

GUILLEMETTE – Mais maître Pierre !

LE DRAPIER – Quoi ? N'est-il pas venu chercher six aunes de drap à l'instant ?

GUILLEMETTE – Qui ? Lui ?

25 **LE DRAPIER** – Il en revient tout juste, il n'y a pas la moitié d'un quart d'heure. Payez-moi. Diable ! Je perds beaucoup trop de temps. Allez, sans lanterner[1] davantage, mon argent !

GUILLEMETTE – Eh ! Trêve de plaisanteries ! Ce n'est pas le
30 moment de s'amuser !

LE DRAPIER – Allez, mon argent ! Êtes-vous folle ? Il me faut mes neuf francs.

notes

1. lanterner : faire attendre en trompant par des prétextes quelconques.

GUILLEMETTE – Ah, Guillaume, il ne faut pas débiter des balivernes ici. Vous venez pour me dire des âneries ? Allez
35   raconter vos sornettes aux idiots et vous amuser avec eux, si vous en avez envie.

LE DRAPIER – Que je renie Dieu si je n'ai mes neuf francs !

GUILLEMETTE – Hélas, monsieur, tout le monde n'a pas comme vous si grande envie de rire et de raconter des sottises.

40 LE DRAPIER – Allons, je vous en prie, cessez ces balivernes. Par pitié, faites venir maître Pierre.

GUILLEMETTE – Malheur à vous ! N'est-ce pas fini maintenant ?

LE DRAPIER – Ne suis-je pas ici chez maître Pierre Pathelin ?

45 GUILLEMETTE – Si. Que le mal de saint Mathelin[1] s'empare de votre cerveau, mais pas du mien ! Parlez à voix basse !

LE DRAPIER – Par le diable ! Devrais-je avoir peur de demander après lui ?

GUILLEMETTE – Que Dieu me protège ! Plus bas, si vous ne
50   voulez pas qu'il se réveille !

LE DRAPIER – Comment « bas » ? Voulez-vous qu'on vous parle à l'oreille ? Du fond du puits ? Ou de la cave ?

GUILLEMETTE – Eh, mon Dieu ! Que vous avez de salive ! D'ailleurs, c'est toujours comme ça avec vous.

55 LE DRAPIER – Au diable, maintenant que j'y pense ! Si vous voulez que je parle à voix basse… Dites donc ! Quant aux discussions de ce genre, ce n'est pas dans mes habitudes. Ce qui est vrai, c'est que maître Pierre a acheté six aunes de drap aujourd'hui.

notes

1. le mal de saint Mathelin :
la folie.

60 **GUILLEMETTE**, *élevant la voix* – Qu'est-ce que c'est que cette histoire ? N'avez-vous pas fini pour aujourd'hui ? Que le diable s'en mêle ! Voyons ! Comment ça, « acheté » ? Ah, monsieur, que l'on pende celui qui ment ! Il est dans un tel état, le pauvre homme, qu'il n'a pas quitté le lit depuis
65 onze semaines. Vous nous débitez des sornettes de votre cru[1] ? Est-ce bien raisonnable en ce moment ? Vous allez sortir de chez moi ! Par les angoisses de Dieu, que je suis malheureuse !

LE DRAPIER – Vous me disiez de parler tout bas… Sainte
70 Vierge Marie, et vous criez !

GUILLEMETTE, *à voix basse* – Sur mon âme, c'est vous qui ne faites que chercher querelle !

LE DRAPIER – Allons ! Afin que je m'en aille, donnez-moi…

GUILLEMETTE, *s'oubliant et criant* – Allez-vous parler à voix
75 basse, à la fin ?

LE DRAPIER – Mais c'est vous qui allez le réveiller. Palsambleu ! Vous parlez quatre fois plus fort que moi ! Je vous somme[2] de me payer !

GUILLEMETTE – Et quoi encore ? Au nom de Dieu, êtes-vous
80 ivre ? ou fou ?

LE DRAPIER – Ivre ? Malédiction de saint Pierre ! En voilà une bonne de question !

GUILLEMETTE – Hélas ! Plus bas !

LE DRAPIER – Bénédiction de saint Georges, je vous
85 demande l'argent de six aunes de drap, madame…

---

notes

1. de votre cru : de votre invention.

2. je vous somme : je vous ordonne.

GUILLEMETTE, *à part* – On vous le fabrique ! *Puis à voix haute.* Et à qui donc l'avez-vous vendu ?

LE DRAPIER – À lui-même.

GUILLEMETTE – Il est bien en état d'acheter du drap ! Hélas !
90 Il ne bouge pas. Il n'a nul besoin d'une robe. Il n'en portera plus jamais aucune, sinon une blanche[1], et il ne partira de là où il est que les pieds devant[2].

LE DRAPIER – C'est donc tout récent, car sans mentir, je lui ai parlé.

95 GUILLEMETTE, *d'une voix perçante* –Vous avez la voix si aiguë ! Parlez plus bas, de grâce !

LE DRAPIER – Mais c'est vous, en vérité ! Oui, vous-même, nom d'un chien ! Palsambleu ! Quelle histoire pénible ! Si l'on me payait, je partirais. *À part.* Parbleu, chaque fois que
100 j'ai fait crédit, je n'ai pas récolté autre chose !

PATHELIN, *couché* – Guillemette ! Un peu d'eau de rose[3] ! Redressez-moi ! Relevez les coussins dans mon dos ! Fichtre ! Mais à qui est-ce que je parle ? La carafe ! À boire ! Frottez-moi la plante des pieds !

105 LE DRAPIER – Là, je l'entends.

GUILLEMETTE – Évidemment !

PATHELIN – Ah, maudite femme, viens ici ! T'avais-je demandé d'ouvrir ces fenêtres ? Viens me couvrir, et chasse ces gens tout noirs ! Marmara, carimari, carimara[4] !
110 Emmenez-les loin de moi ! Emmenez-les !

---

notes

1. sinon une blanche : le drap dans lequel on enveloppe les morts, le linceul, est blanc.

2. les pieds devant : comme un cadavre porté sur un brancard.

3. eau de rose : remède pour ranimer quelqu'un.

4. marmara, carimari, carimara : formule magique pour chasser les démons.

GUILLEMETTE, *à l'intérieur de la maison* – Que se passe-t-il ? Comme vous vous agitez ! Êtes-vous devenu fou ?

PATHELIN – Tu ne sais pas ce que j'éprouve. *Il s'agite.* Voilà un moine noir qui vole. Attrape-le et passe-lui une étole[1] ! Au
115 chat, au chat[2] ! Comme il grimpe !

GUILLEMETTE – Mais qu'est-ce que cela veut dire ? N'avez-vous pas honte ? Eh, parbleu ! Vous vous agitez trop !

PATHELIN, *retombant épuisé* – Ces médecins m'ont tué avec ces drogues qu'ils m'ont fait boire. Mais il faut pourtant leur
120 faire confiance, car ils font pour le mieux.

GUILLEMETTE, *au drapier* – Hélas ! Venez le voir, cher monsieur : il souffre le martyre.

LE DRAPIER, *il entre dans la chambre* – Il est vraiment malade depuis l'instant où il est revenu de la foire ?

125 **GUILLEMETTE** – De la foire ?

LE DRAPIER – Par saint Jean, oui ! Je suis certain qu'il y est allé. *À Pathelin.* Il me faut l'argent du drap que je vous ai cédé à crédit, maître Pierre.

PATHELIN, *feignant de prendre le drapier pour un médecin* – Ah,
130 maître Jean ! J'ai chié deux petites crottes plus dures que de la pierre, toutes noires et rondes, comme des pelotes. Devrai-je prendre un autre clystère[3] ?

LE DRAPIER – Qu'est-ce que j'en sais ? Qu'est-ce que cela peut me faire ? Il me faut neuf francs, ou six écus.

---

notes

1. une étole : étoffe que le prêtre porte au cou pour célébrer la messe. On la mettait au cou des gens possédés du démon pour les en délivrer.

2. au chat : cet animal, surtout noir, passait pour diabolique. Les gens le prenaient pour une incarnation de Satan.

3. clystère : médicament pour laver l'intestin.

Pathelin contrefaisant le malade dans la mise en scène de *La Farce de Maître Pathelin* par Christian Grau Stef au théâtre de l'Atelier, 1977.

135   **PATHELIN** – Ces trois morceaux noirs et pointus[1], les appelez-vous des *pilules* ? Ils m'ont abîmé les mâchoires ! Pour l'amour de Dieu, ne m'obligez plus à en prendre, maître Jean ! Ils m'ont fait tout rendre. Ah, il n'y a rien de plus amer !

140   **LE DRAPIER** – Mais non ! Sur l'âme de mon père, vous ne m'avez pas rendu mes neuf francs !

   GUILLEMETTE – Que soient pendus par le cou les gens empoisonnants à ce point ! Allez-vous-en par le diable, puisque vous ne voulez pas partir pour l'amour de Dieu.

145   **LE DRAPIER** – Par le Dieu qui me fit naître, j'aurai mon drap avant de partir, ou mes neuf francs !

   PATHELIN – Et mon urine, ne vous apprend-elle pas que je suis sur le point de mourir[2] ? Hélas ! Pour l'amour de Dieu, quelles que soient les souffrances à endurer, faites

150   que je ne trépasse pas[3] !

   GUILLEMETTE, *au drapier* – Allez-vous-en ! N'est-il pas honteux de lui rompre ainsi la tête ?

   LE DRAPIER – Que Notre-Seigneur Dieu en soit fâché ! Six aunes de drap… Maintenant, dites-moi, sincèrement, est-il

155   normal que je les perde ?

   PATHELIN – Si seulement vous pouviez ramollir ma merde, maître Jean ! Elle est tellement dure que je ne sais pas comment j'arrive à supporter la douleur quand elle sort de mon anus.

---

notes

4. morceaux noirs et pointus : ce sont des suppositoires que Pathelin fait semblant d'avoir pris pour des pilules.

2. sur le point de mourir : Pathelin demande que l'on analyse son urine.

3. que je ne trépasse pas : que je ne meure pas.

160 LE DRAPIER – Il me faut neuf francs tout ronds, car par saint Pierre de Rome…

GUILLEMETTE – Hélas ! Comme vous torturez cet homme ! Comment pouvez-vous être si dur ? Vous voyez bien qu'il croit que vous êtes médecin. Hélas ! Le pauvre chrétien est
165 déjà suffisamment malheureux comme ça. Pendant onze semaines, sans relâche, il est resté là, le pauvre homme !

LE DRAPIER – Palsambleu, j'ignore comment cette mésaventure lui est arrivée, car il est venu aujourd'hui même, et nous avons fait affaire ensemble, c'est du moins ce que je
170 crois, ou alors je ne sais pas ce qui se passe.

GUILLEMETTE – Par Notre-Dame, mon bon maître, vous n'avez pas toute votre tête. Assurément, si vous voulez bien m'écouter, vous irez vous reposer un peu. Beaucoup de gens pourraient raconter que vous venez ici pour moi.
175 Partez ! Les médecins vont arriver d'un instant à l'autre.

LE DRAPIER – Peu m'importe que l'on pense à mal, car moi je n'y songe pas. *À part.* Ah ! Sacrebleu, en suis-je rendu là ? *À Guillemette.* Tudieu, je croyais…

GUILLEMETTE – Quoi encore ?

180 LE DRAPIER – Vous n'avez donc pas d'oie sur le feu ?

GUILLEMETTE – En voilà une belle de question ! Ah, monsieur, ce ne sont pas des plats pour les malades. Allez manger vos oies sans venir nous faire vos singeries. Ma foi, vous êtes vraiment sans-gêne !

185 LE DRAPIER – Je vous prie de ne pas le prendre mal, mais je croyais fermement…

GUILLEMETTE – Encore ?

LE DRAPIER – Par le saint sacrement, adieu ! *Devant la maison, à part.* Diable, je vais savoir à présent. Je suis certain d'avoir

190 six aunes de drap d'une seule pièce, mais cette femme
m'embrouille totalement l'esprit… Il les a eues, c'est sûr…
Non ! Diable, les faits ne concordent pas. J'ai vu la Mort
sur le point de le piquer de son dard, ou du moins, il joue
la comédie. Et pourtant si ! Il les a bien prises, et les a mises
195 sous son bras… Sainte Vierge Marie !… Mais non, il ne les
a pas !… Je ne crois pas rêver. Je n'ai pas l'habitude de donner mes tissus, ni endormi, ni éveillé, à qui que ce soit,
même à mon meilleur ami. Si seulement je ne les avais pas
cédées à crédit… Palsambleu, il les a emportées ! Morbleu,
200 non ! J'en suis sûr ! Mais non ! Mais qu'est-ce que je
raconte ?… Si, il les a ! Par le sang de la Vierge, que soit
damné corps et âme, et moi avec, celui qui saurait dire
qui a raison ou tort d'eux ou de moi : je n'y vois goutte !
Il s'en va.

205 PATHELIN, *à voix basse* – Est-il parti ?

GUILLEMETTE, *de même* – Silence ! J'écoute. Je ne sais ce qu'il
radote. Il s'en va en grommelant si fort qu'on dirait qu'il
délire !

PATHELIN – Ce n'est pas le moment de me lever ? Comme
210 nous l'avons bien mené au point où nous voulions !

GUILLEMETTE – J'ignore s'il ne va pas revenir. *Pathelin veut se
lever.* Non, que diable ! Restez encore couché. Tout serait
fichu s'il vous trouvait debout.

PATHELIN – Par saint Georges, comme il est bien tombé dans
215 le panneau, lui qui est si méfiant ! La leçon lui convient
encore mieux qu'un crucifix dans une église.

GUILLEMETTE – Jamais aussi vile canaille n'a mieux mérité sa
correction ! Pour sûr ! Que diable, il ne faisait jamais
l'aumône le dimanche ! *Elle rit.*

220 **PATHELIN** – Pour l'amour de Dieu, ne ris pas ! S'il revenait, cela pourrait nous coûter cher ! Je suis certain qu'il va revenir.

GUILLEMETTE – Ma foi, se retiendra de rire qui voudra, moi je ne peux pas.

225 **LE DRAPIER**, *devant son magasin* – Eh, par le saint soleil et ses rayons, s'en fâche qui veut, je vais retourner chez cet avocat d'eau douce. Sacré bon Dieu, quel beau racheteur de rentes[1] vendues par ses parents ou parentes ! Mais, par saint Pierre, il a mon drap, ce sale escroc ! Je le lui ai donné
230 ici même.

GUILLEMETTE – Quand je revois la grimace qu'il faisait en vous regardant, je ris !… Il ne pensait qu'à réclamer son dû[2]… *Elle rit.*

PATHELIN – Silence à présent, tête de linotte ! Je renie
235 Dieu… pourvu que je ne le fasse jamais ! S'il vous entendait, nous n'aurions plus qu'à nous enfuir : il est tellement coriace !

LE DRAPIER, *dans la rue* – Et cet avocat véreux de troisième zone, prend-il les gens pour des guillaumes[3] ? Pardi,
240 il mérite autant la corde qu'un sou d'être ramassé. Il a mon tissu, ou je renie Dieu ! Il m'a bien roulé à ce jeu… *De retour chez Pathelin, il appelle Guillemette.* Holà ! Où êtes-vous passée ?

notes

1. rentes : la rente est un revenu annuel provenant d'un bien immobilier, comme une maison. On peut la vendre pour se procurer de l'argent.

2. son dû : ce qui lui est dû.

3. guillaumes : synonyme de « sot », mais aussi nom de baptême, celui du drapier notamment, ce qu'il semble oublier.

GUILLEMETTE, *à voix basse* – Ma parole ! Il m'a entendue ! Il
245 est sûrement fou de rage.

PATHELIN, *à voix basse* – Je vais faire semblant de délirer. Allez
ouvrir !

GUILLEMETTE, *elle ouvre la porte* – Comme vous criez !

LE DRAPIER – Miséricorde ! Vous riez ! Allez ! Mon argent !

250 GUILLEMETTE – Sainte Marie ! De quoi voulez-vous que je
rie ? Il n'y a pas plus malheureuse que moi sur terre. Il se
meurt ! Jamais vous n'avez vu pareille tempête ni pareille
frénésie[1]. Il délire encore : il divague, il chante, il confond
toutes sortes de langages, il tient des propos incohé-
255 rents !… Il ne lui reste pas une demi-heure à vivre. Ma
parole, je ris et pleure tout à la fois.

LE DRAPIER – J'ignore s'il faut rire ou pleurer, mais en un
mot, je veux être payé !

GUILLEMETTE – De quoi ? Êtes-vous fou ? Recommencez-
260 vous vos sottises ?

LE DRAPIER – Je n'ai pas l'habitude d'être payé de semblables
propos quand je vends mon drap. Voulez-vous me faire
prendre des vessies pour des lanternes ?

PATHELIN, *en proie au délire* – Vite ! Debout ! La reine des
265 guitares, qu'on me l'amène immédiatement ! Je sais bien
qu'elle a accouché de vingt-quatre guitarettes, enfants de
l'abbé d'Iverneaux. Je dois être son compère.

GUILLEMETTE – Hélas ! Songez à Dieu le Père, mon ami, et
non à des guitares !

notes

1. frénésie : agitation violente,
proche de la folie.

270 LE DRAPIER – Ah ! Quels conteurs de balivernes ce sont là ! Allons vite ! Que le drap que vous avez emporté me soit payé, en or ou en petite monnaie !

GUILLEMETTE – Ah, diable ! Cela ne vous suffit pas de vous être déjà trompé une fois ?

275 LE DRAPIER – Savez-vous ce qu'il en est, chère amie ? Que Dieu me vienne en aide ! Serait-ce une méprise… ? Mais quoi ? Il faut payer ou être pendu… Quel tort vous fais-je en venant ici réclamer mon dû ? Car, par saint Pierre de Rome…

280 GUILLEMETTE – Hélas ! Autant tourmenter cet homme ! Assurément, je vois bien à votre visage que vous n'avez pas tout votre bon sens. Foi de pauvre pécheresse, si j'avais de l'aide, je vous ligoterais : vous êtes complètement fou !

LE DRAPIER – Hélas ! J'enrage de ne pas avoir mon argent.

285 GUILLEMETTE – Ah ! Quelle bêtise ! Signez-vous ! *Benedicite*[1]. Faites le signe de la croix ! *Elle fait sur lui le signe de la croix.*

LE DRAPIER – Eh bien ! Je renie Dieu si de toute l'année je vends du drap à crédit ! *Pathelin s'agite.* Sacré malade !

290 PATHELIN – Mère de Dieu, la coronade,
par ma fye, y m'en vuol anar,
Or regni biou, oultre la mar !
Ventre de Diou ! z'endis gigone !
Indiquant le drapier.

295   Çastuy ça rible et res ne done.
            Ne carrilaine ! fuy ta none !
            Que de l'argent il ne me sone[1] !
                      Au drapier.
       Avez-vous entendu, cher cousin ?

300 **GUILLEMETTE**, *au drapier* – Un de ses oncles était limousin, un frère de sa grand-tante. C'est pour ça, j'en suis sûre, qu'il jargonne en patois limousin.

LE DRAPIER – Diable ! Il est parti en cachette avec tout mon drap sous l'aisselle.

305 **PATHELIN**, *à Guillemette* – Approchez, belle demoiselle. Que veulent donc tous ces crapauds ? Reculez, sacs à merde ! *Il s'enveloppe dans sa couverture.*

            Sa ! Tost ! Je vueil devenir prestre.
            Or sa ! Que le dyable y puist estre,
310   en chelle vielle prestrerie !
            Et faut il que le prestre rie
            Quant il dëust chanter sa messe ?

GUILLEMETTE – Hélas ! Hélas ! L'heure des derniers sacrements[2] approche pour lui.

315 **LE DRAPIER** – Mais comment se fait-il qu'il parle couramment picard ? D'où lui vient cette fantaisie ?

GUILLEMETTE – Sa mère était de Picardie, et c'est pour cette raison qu'à présent il parle picard.

PATHELIN, *au drapier* – D'où viens-tu, face de carnaval ?

---

320 Vuacarme, liefe gode man ;
etlbelic beq igluhe gohan ;
Henrien, Henrien, conselapen ;
ych salgneb nede que maignen ;
grile grile, scohehonden ;
325 zilop zilop en mon que bouden ;
disticlien unen desen versen ;
mat groet festal ou truit denhersen ;
en vuacte vuile, comme trie !
Cha ! À dringuer ! Je vous en prie ;
330 quoy act semigot yaue,
et qu'on m'y mette ung peu d'ëaue !
Vuste vuille, pour le frimas ;
faictes venir sire Thomas
tantost, qui me confessera.

335 LE DRAPIER – Qu'est-ce que cela veut dire ? Il ne s'arrêtera
donc pas aujourd'hui de parler d'étranges langages ? Si au
moins il me donnait un gage ou mon argent, je m'en irais.

GUILLEMETTE – Par la Passion du Christ, que je suis malheureuse ! Vous êtes un homme bien étrange. Que cherchez-
340 vous ? Je ne comprends pas pourquoi vous vous montrez
si obstiné.

PATHELIN – Or cha ! Renouart au tiné !
Bé dea, que ma couille est pelouse !
El semble une cate pelouse,
345 ou a une mousque a mïel.
Bé ! Parlez a moy, Gabrïel.
                    Il s'agite.
Les play's Dieu ! Qu'esse qui s'ataque
a men cul ? Esse ou une vaque,
350 une mousque, ou ung escarbot ?

> Bé dea ! J'é le mau saint Garbot !
> Suis je des foureux de Baieux ?
> Jehan du Quemin sera joyeulz,
> mais qu'i' sache que je le see.
> *355* Bee ! Par saint Miquiel, je beree
> voulentiers a luy une fes !

LE DRAPIER – Comment peut-il supporter de parler autant ? *Pathelin s'agite.* Ah, il devient fou !

GUILLEMETTE – Son maître d'école était normand. C'est ainsi *360* qu'à la fin de sa vie, il s'en souvient. *Pathelin émet un râle.* Il nous quitte !

LE DRAPIER – Ah, Sainte Vierge ! C'est bien l'histoire la plus délirante à laquelle j'aie jamais été mêlé ! Jamais je n'aurais douté qu'il ne se soit rendu aujourd'hui à la foire.

365 GUILLEMETTE – Vous le pensiez vraiment ?

LE DRAPIER – Oui, par saint Jacques ! Mais, je vois bien le contraire.

PATHELIN, *faisant mine d'écouter* – Est-ce un âne que j'entends braire ? *Au drapier.* Qu'il parte ! Qu'il parte, mon cousin ! *370* Oui, ils le seront, en grand émoi[1], le jour quand je ne te verrai pas. Il est juste que je te haïsse car tu m'as fait grande traîtrise. Ce que tu fais, ce n'est que tromperie. *Délirant :*
> Ha oul danda oul en ravezeie
> corfha en euf.

375 GUILLEMETTE, *à Pathelin* – Que Dieu vous protège !

PATHELIN – Huis oz bez ou dronc nos badou
> digaut an tan en hol madou
> empedif dich guicebnuan

---

notes

1. émoi : trouble.

380

quez queuient ob dre douch aman
men ez cahet hoz bouzelou
eny obet grande canou
maz rehet crux dan hol con
so ol oz merueil grant nacon
aluzen archet epysy

385

har cals amour ha courteisy.

LE DRAPIER, *à Guillemette* – Hélas ! Parbleu, écoutez ça ! Il meurt ! Comme il gargouille ! Mais que diable baragouine-t-il ? Sainte Mère, comme il marmotte entre ses dents ! Corbleu, il marmonne tant qu'on n'y comprend rien ! Il ne parle pas un langage chrétien[1], ni aucun patois compréhensible.

GUILLEMETTE – La mère de son père était originaire de Bretagne. Il se meurt ! Cela nous avertit qu'il lui faut les derniers sacrements.

PATHELIN, *au drapier* –

Hé, par saint Gigon, tu te mens.
Voit a Deu ! couille de Lorraine !
Dieu te mette en bote sepmaine !
Tu ne vaulx mie une vielz nate ;
va, sanglante bote savate ;
va foutre ! va, sanglant paillart !
Tu me refais trop le gaillart.
Par la mort bieu ! Sa ! vien t'en boire,
et baille moy stan grain de poire,
car vrayment je le mangera
et, par saint George, je bura

notes

1. il ne parle pas un langage chrétien : c'est un signe de damnation.

53

a ty. Que veulx tu que je die ?
Dy, viens tu nient de Picardie ?
Jaques nient se sont ebobis ?
410 Et bona dies sit vobis,
magister amantissime,
pater reverendissime.
Quomodo brulis ? Que nova ?
Parisius non sunt ova ;
415 quid petit ille mercator ?
Dicat sibi quod trufator,
ille qui in lecto jacet,
vult ei dare, si placet,
de oca ad comedendum.
420 Si sit bona ad edendum,
pete tibi sine mora.

GUILLEMETTE, *au drapier* – Sur ma tête, il va mourir tout en
parlant. Comme il parle latin ! Ne voyez-vous pas à quel
point il révère[1] hautement la divinité ? Elle s'en va, sa vie !
425 Et moi, je vais rester là, pauvre et misérable.

LE DRAPIER, *à part* – Il serait bon que je parte avant qu'il ne
trépasse. *À Guillemette.* Je crains qu'au moment de mourir
il n'éprouve de la gêne à vous révéler devant moi quelque
secret intime, s'il en a. Pardonnez-moi, car je vous jure que
430 je croyais de toute mon âme qu'il avait emporté mon drap.
Adieu madame, et pour l'amour de Dieu, que je sois
pardonné.

GUILLEMETTE, *le reconduisant* – Puissiez-vous aller au Paradis !
Et moi aussi, pauvre malheureuse que je suis !

notes
––––––––––––
1. révère : honore.

435 LE DRAPIER, *à part* – Par la très noble Sainte Marie, jamais chose aussi ahurissante ne m'était arrivée ! C'est le diable qui s'est substitué à lui, et a pris mon drap pour me tenter. *Benedicite* ! Puisse-t-il ne jamais attenter à ma vie[1] ! Et puisqu'il en est ainsi, mon drap, j'en fais cadeau, pour l'amour 440 de Dieu, à celui qui l'a emporté, quel qu'il soit.

Il part.

PATHELIN, *sautant du lit* – Debout ! *À Guillemette.* Vous ai-je fait une belle démonstration ? Il s'en va à présent, le beau Guillaume ! Sous son bonnet, mon Dieu, il retourne une 445 ribambelle de petites conclusions. Il aura bien des visions cette nuit, pendant son sommeil.

GUILLEMETTE – Comme il a été mouché ! N'ai-je pas bien joué mon rôle ?

PATHELIN – Corbleu, à dire vrai, vous vous êtes fort bien 450 débrouillée. En tout cas, nous avons obtenu suffisamment de drap pour nous faire des vêtements.

notes

1. *attenter à ma vie :* tenter de me tuer.

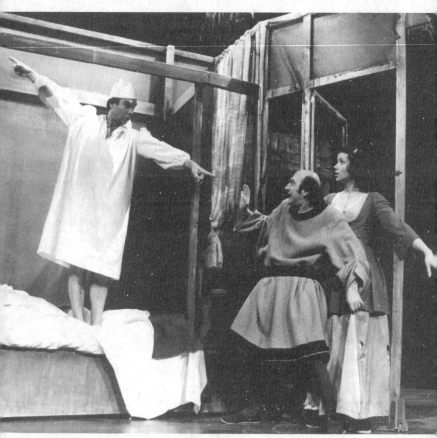

Mise en scène de *La Farce de Maître Pathelin*
par Christian Grau Stef au théâtre de l'Atelier, 1977.

Au fil du texte

AVEZ-VOUS BIEN LU ?

1. Quels sont les différents lieux où se joue la scène ?

2. Décomposez cette scène en deux parties, et donnez un titre à chacune.

3. Pourquoi Guillaume quitte-t-il une première fois la maison de Pathelin ?

4. Pourquoi décide-t-il de retourner chez l'avocat ?

5. Que feint Pathelin à la première visite de Guillaume ? puis à la seconde visite ?

6. À la fin de la scène, que conclut Guillaume de cette histoire ?

champ lexical : **ensemble des mots se rapportant à une même idée.**

monologue : **paroles qu'un personnage s'adresse à lui-même.**

ÉTUDIER LE VOCABULAIRE ET LA GRAMMAIRE

7. Lignes 29 à 41 : relevez les termes appartenant au champ lexical* de l'amusement. Comment expliquez-vous que ce champ lexical soit aussi bien représenté ?

8. *« Voulez-vous me faire prendre des vessies pour des lanternes ? »* (l. 262-263) :
Quel est le rapport entre une vessie et une lanterne ? Comment comprenez-vous l'expression ?

9. Quels sentiments traduit la ponctuation du monologue* de Guillaume (l. 188 à 204) ? Relevez les phrases sans verbe. Comment expliquez-vous leur grand nombre ?

ÉTUDIER LE DISCOURS

10. Guillemette tutoie-t-elle ou voussoie-t-elle
Pathelin ? Pourquoi ?
Comment s'adresse-t-elle au drapier, et pourquoi ?

11. Relevez les passages où Pathelin tutoie
sa femme, et ceux où il la voussoie. Justifiez
ces variations.

ÉTUDIER LE GENRE : LE COMIQUE DE LA FARCE

registre de langue : **manière de s'exprimer, selon la situation et les interlocuteurs. Il y a quatre registres de langue : soutenu, courant, familier et vulgaire.**

12. Lignes 45 à 100 : qu'est-ce qui fait rire
le spectateur dans le jeu des deux personnages ?

13. Le verbe « *rendre* » est employé à deux reprises
(l. 138 et 141). Dans quels sens ? Quel est l'effet
de cette répétition ?

14. Lignes 129 à 159 : quel registre de langue★
Pathelin emploie-t-il pour décrire ses maux
physiques ?

15. « *Quand je revois la grimace qu'il faisait en vous
regardant, je ris !…* » (l. 231-232) : que révèle cette
remarque de Guillemette sur l'expression de visage
du drapier ?

16. En vous aidant des réponses aux questions
précédentes, déterminez les différentes formes
de comique rencontrées dans la farce.

ÉTUDIER LA FONCTION DE LA SCÈNE DANS LA PIÈCE

17. Comparez la longueur de cette scène à celle des
autres. Que constatez-vous ?

18. Où se situe cette scène dans la pièce ?

19. Donnez les raisons qui font de cette scène l'une des plus importantes de la pièce.

À VOS PLUMES !

20. Vous voulez aller au cinéma avec un ami. Vos parents refusent. Formulez tour à tour votre demande en registre courant, en registre soutenu et en registre familier.

21. Le drapier rencontre un ami et lui raconte ce qui vient de lui arriver chez Pathelin. Imaginez leur conversation. Dans le récit de Guillaume, veillez à ce que les différentes étapes du déroulement de la scène apparaissent nettement. Pour donner à ce dialogue une couleur historique moyenâgeuse, reprenez les interjections et les exclamations que vous avez rencontrées dans cette pièce : « *par ma foi* », « *par tous les saints* », « *Dieu m'aide* », etc.

MISE EN SCÈNE

22. Vous êtes metteur en scène et vous trouvez cette scène trop longue à représenter. Supprimez ce que vous jugez nécessaire, en faisant attention de ne pas remettre en cause l'unité ni le comique de la scène.

23. Quels sont les éléments de décor nécessaires pour jouer cette scène ? Proposez une solution pour résoudre le problème de la représentation sur une scène unique des différents lieux de l'action.

24. Avec vos camarades, proposez des représentations des lignes 45 à 100. Soyez attentifs au ton des répliques.

25. En substituant votre charabia à celui de Pathelin, mais en ayant soin d'insérer comme lui des phrases très compréhensibles et peu agréables pour le drapier, choisissez un extrait de la seconde partie de la scène et jouez-le devant vos camarades.

LIRE L'IMAGE

26. Quels sont les éléments qui permettent de situer sans hésitation la photographie de la page 43 à la scène 5 ?

27. Sur cette photographie, qu'expriment le visage et l'attitude de Pathelin ?

28. D'après la photographie de la page 56, selon vous, quelle impression dominante se dégage de cette mise en scène ? Quels éléments contribuent à créer cet effet ?

Scène 6

LE DRAPIER, LE BERGER THIBAUD
L'AGNELET

Chez le drapier.

LE DRAPIER – Comment, diable ? Chacun me paie de mensonges ! Chacun emporte mes biens, et prend tout ce qu'il peut attraper ! Me voici le roi des nigauds ! Même les bergers des champs me volent : le mien à présent, à qui j'ai
5 toujours fait du bien. Mais il ne s'est pas moqué de moi impunément[1] : par la Sainte Mère de Dieu, je le traînerai en justice.

LE BERGER THIBAUD – Que Dieu vous accorde une bonne journée, et aussi une bonne soirée, ô gentil maître !

10 LE DRAPIER – Ah ! Te voilà, petit truand de merde ! Quel bon serviteur ! Mais pour quoi faire ?

LE BERGER – Mais, sans vouloir vous offenser, mon bon maître, je ne sais quel individu en habit rayé, tout énervé, un fouet sans corde à la main[2], m'a dit… Mais je ne me
15 souviens pas bien, en vérité, de quoi il s'agissait. Il m'a parlé de vous, mon maître… et de je ne sais quelle assignation[3]… Quant à moi, par la Vierge Marie, je n'y comprends rien de rien ! Il m'a embrouillé dans un méli-mélo de « brebis » et d'« après-midi »… Mais il m'a bien
20 fait sentir votre courroux[4], mon maître.

---

notes

1. impunément : sans s'exposer à un risque.

2. un fouet sans corde à la main : les sergents portaient un uniforme à rayures et un bâton.

3. assignation : convocation à comparaître devant un juge.

4. courroux : colère.

LE DRAPIER – Si je ne parviens pas à te traîner immédiatement devant le juge, je prie Dieu que le déluge et la tempête me tombent sur la tête ! Tu n'assommeras plus jamais
de bête sans qu'il t'en souvienne, j'en fais le serment !
25   Quoi qu'il arrive, tu me payeras six aunes[1]… non, je veux
dire, les bêtes que tu as abattues, et les dommages que tu
m'as causés depuis dix ans.

LE BERGER – N'écoutez pas les mauvaises langues, mon bon
maître, car je vous jure…

30 LE DRAPIER – Et par la Vierge que l'on implore, tu les
rendras samedi, mes six aunes de drap… je veux dire les
bêtes de mon troupeau que tu as volées.

LE BERGER – Quel drap ? Ah, mon maître, vous êtes, je crois,
en colère pour autre chose ! Par saint Loup, je n'ose rien
35   dire, mon maître, quand je vous vois dans cet état !

LE DRAPIER – Laisse-moi tranquille ! Va-t'en, et n'oublie pas
ton assignation, si bon te semble.

LE BERGER – Mon maître, pour l'amour de Dieu, arran-
geons-nous entre nous, que je n'aie pas à plaider !

40 LE DRAPIER – Allez, ton affaire est faite. Va-t'en ! Parbleu, je
refuse tout accord et tout arrangement autre que celui
décidé par le juge. Fichtre ! Chacun me trompera, si je n'y
mets bon ordre dès à présent !

---

notes

1. six aunes : le drapier
confond les deux affaires,
l'abattage des brebis par
le berger et le tissu volé
par Pathelin.

**Enluminure des _Très Riches Heures du duc de Berry_, Pol de Limbourg, XVe siècle,
Poitiers. Juillet, la moisson et la tonte des moutons. Chantilly, musée Condé.**

Scène 7

PATHELIN, GUILLEMETTE,
LE BERGER THIBAUD

Chez Pathelin.

LE BERGER. *Il frappe à la porte de Pathelin* − Y a-t-il quelqu'un ici ?

PATHELIN, *à voix basse* − Que je sois pendu par le cou, si ce n'est lui qui revient !

5   GUILLEMETTE, *à voix basse* − Eh non, ce n'est pas lui ! Par le grand saint Georges, ce serait bien ce qui pourrait nous arriver de pire !

LE BERGER − Que Dieu soit avec vous ! Que Dieu vous garde !

10   PATHELIN. *Il sort de la maison* − Que Dieu te protège, compagnon ! Que veux-tu ?

LE BERGER − On va me condamner par défaut[1], cher maître, si je ne me rends pas à ma convocation, à je ne sais quelle heure, cet après-midi. S'il vous plaît, venez-y, cher maître,
15   et défendez ma cause, car je n'y connais rien. Bien que je sois mal habillé, je vous paierai largement.

PATHELIN − Approche donc, et parle ! Qui es-tu, le plaignant ou l'accusé ?

LE BERGER − J'ai affaire à un malin, comprenez-vous bien,
20   cher maître, quelqu'un dont j'ai longtemps mené paître les brebis. Je les lui gardais. Ma foi, je me rendais compte qu'il me payait chichement[2]... Dois-je tout dire ?

---

notes

1. par défaut : sans que je
sois présent.   **2. chichement :** peu.

PATHELIN – Diable, évidemment ! On doit tout dire à son avocat.

25 **LE BERGER** – Il est bel et bien vrai, monsieur, que plus d'une fois, je les lui ai assommées si vigoureusement que plusieurs se sont évanouies, et sont tombées raides mortes, bien qu'elles fussent solides et en bonne santé. Puis je lui faisais croire, pour éviter les reproches, qu'elles mouraient de la
30 clavelée[1]. « Ah, disait-il, ne la laisse pas avec les autres ! Débarrasse-toi d'elle. » « Volontiers », répondais-je. Mais c'était d'une manière particulière car, par saint Jean, moi qui connaissais bien leur maladie, je les mangeais ! Que voulez-vous que je vous dise ? J'ai continué ce manège si
35 longtemps, j'en ai assommé et tué tant qu'il s'en est aperçu. Quand il s'est vu trompé, grand Dieu, il m'a fait épier, et on les entend crier très fort, comprenez-vous, quand on les tue. J'ai donc été pris sur le fait : impossible de nier quoi que ce soit ! Aussi voudrais-je vous prier – en ce qui me
40 concerne, j'ai largement de quoi payer – qu'à nous deux nous le prenions de court. Je sais bien que sa cause est juste, mais si vous le voulez, vous trouverez bien un argument qui la rendra mauvaise.

PATHELIN – Si je t'en crois, tu en seras bien aise[2] ! Que me
45 donneras-tu, si je réduis à néant le bon droit de la partie adverse, et si l'on te renvoie chez toi acquitté ?

LE BERGER – Je vous paierai non en menue monnaie, mais en beaux écus d'or à la couronne.

---

notes

1. clavelée : maladie contagieuse qui entraîne la mort des moutons.

2. tu en seras bien aise : tu en seras bien content.

PATHELIN – Tu auras donc gain de cause, tes torts fussent-ils
50   deux fois plus grands. Plus une cause est juste, et plus vite
je la détruis, quand je veux m'y mettre. C'est un beau
plaidoyer que tu vas entendre dès qu'il aura exposé sa
plainte ! Approche donc ici, et dis-moi… Par le très pré-
cieux sang de Dieu, tu es assez malin pour bien com-
55   prendre la ruse. Comment t'appelle-t-on ?

LE BERGER – Par saint Maur, Thibaud l'Agnelet.

PATHELIN – L'Agnelet, tu lui as chapardé maint[1] agneau de
lait[2] à ton maître ?

LE BERGER – Ma foi, il se peut bien que j'en aie mangé plus
60   de trente en trois ans.

PATHELIN – Soit une rente de dix par an, pour payer tes dés
et tes chandelles[3] ! *Songeant à la partie adverse du berger.*
Je pense qu'on en viendra facilement à bout. *Après une
petite pause.* Penses-tu qu'il puisse trouver facilement
65   quelqu'un pour prouver ses dires ? C'est là le point essentiel de l'affaire.

LE BERGER – Pour les prouver, maître ? Par la Sainte Vierge,
par tous les saints du Paradis, ce n'est pas un témoin, mais
dix, qu'il trouvera pour déposer contre moi !

70   **PATHELIN** – C'est un élément très fâcheux pour ta cause…
Mais voici à quoi je songe : je ne montrerai pas que je suis
de ton côté, ni même que je te connais.

LE BERGER – Grand Dieu, vous ne le montrerez pas ?

---

notes

1. maint : beaucoup de.
2. agneau de lait : agneau
destiné à être mangé.

3. tes dés et tes chandelles :
dans les tavernes, il fallait
payer pour avoir des dés à
jouer et une chandelle pour
s'éclairer.

PATHELIN – Non, pour rien au monde ! Mais voici comment
nous devrons procéder. Si tu ouvres la bouche, on te pren-
dra en défaut à chaque question, et dans de telles affaires,
reconnaître les faits est très préjudiciable[1], et cause un tort
du diable ! Aussi, voici ce que tu devras faire : dès qu'on
t'appellera pour comparaître devant le juge, tu ne répon-
dras rien d'autre que « bée », quoi que l'on te dise. Et
même si par hasard on t'injurie en disant : « Eh ! Espèce
d'ordure, que Dieu vous maudisse ! Canaille, vous
moquez-vous de la Justice ? » réponds par « Bée ». « Ah !
ferai-je, c'est un simple d'esprit. Il croit parler à ses bêtes. »
Mais même s'ils devaient exploser de rage, que rien d'autre
ne sorte de ta bouche ! Garde-t-en bien !

LE BERGER – C'est dans mon intérêt ! Je m'en garderai bien,
oui, et j'agirai comme il faut, je vous en donne ma parole.

PATHELIN – Fais donc bien attention ! Tiens-toi fermement
à ce rôle ! Même à moi, quoi que je puisse te dire ou te
proposer, ne réponds pas autrement.

LE BERGER – Moi ? Sûrement pas, je vous le jure ! N'ayez pas
peur de me traiter d'idiot, si aujourd'hui je réponds autre
chose à vous ou à quiconque, quoi qu'on me dise ! Pas un
mot, excepté le « Bée » que vous m'avez appris.

PATHELIN – Ainsi, par saint Jean, grâce à cette singerie, on
attrapera ton adversaire. Mais fais aussi en sorte qu'une fois
l'affaire réglée, je sois satisfait de mes honoraires.

LE BERGER – Cher maître, si je ne vous paie pas à votre prix,
ne me faites plus jamais confiance. Mais je vous en prie,
réfléchissez avec soin à mon affaire.

notes

1. *préjudiciable* : nuisible.

PATHELIN – Par Notre-Dame de Boulogne, je crois que le juge siège en ce moment, car il ouvre toujours l'audience à six heures, ou à peu près. Suis-moi donc à distance, car
105 nous ne ferons pas le chemin ensemble.

LE BERGER – Bien pensé ! Ainsi on ne saura pas que vous êtes mon avocat.

PATHELIN – Par la Sainte Vierge, gare à toi si tu ne me paies pas largement !

110 **LE BERGER** – Grand Dieu ! À votre prix, sans faute, n'en dou-tez pas, cher maître !

Il part.

PATHELIN, *seul* – Ah, diable ! S'il ne pleut pas, il tombera au moins quelques gouttes, et si tout se passe comme il faut,
115 je tirerai bien un petit quelque chose de lui, un écu ou deux pour ma peine.

Pathelin et le berger. Illustration de l'édition Pierre Levet, vers 1490. BNF.

Au fil du texte

QUE S'EST-IL PASSÉ ENTRE-TEMPS ?

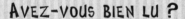

1. Quel est le nouveau personnage apparu à la scène 6 ?

2. En vous appuyant sur le texte de la scène 6, expliquez ce qu'il a fait.

3. Relevez les éléments de la scène 6 qui permettent d'imaginer la suite de l'intrigue.

4. Pourquoi peut-on dire que l'entrée en scène de Thibaud relance l'action ?

AVEZ-VOUS BIEN LU ?

5. Pourquoi le berger se rend-il chez Pathelin ?

6. Quel est le point faible de Thibaud dans le procès qui s'annonce ?

7. Quel est le stratagème imaginé par Pathelin pour défendre la cause de Thibaud ?

ÉTUDIER LE VOCABULAIRE ET LA GRAMMAIRE

8. En vous aidant du contexte, expliquez ce que veut dire Pathelin dans cette phrase : « *S'il ne pleut pas, il tombera au moins quelques gouttes* » (l. 113-114).

9. Des lignes 25 à 43, relevez les verbes conjugués à l'imparfait de l'indicatif. Justifiez l'emploi de ce temps.

10. Transformez la subordonnée « *tes torts fussent-ils deux fois plus grands* » (l. 49-50) en une subordonnée introduite par « *même si* ».
Quelle est la fonction de ces deux subordonnées ?

ÉTUDIER LE DISCOURS

11. Lignes 19 à 39 : quels sont les éléments qui permettent de dire que Thibaud fait une narration★ ?

12. Dans ces lignes, relevez les passages où Thibaud rapporte ses propres propos et ceux du drapier.

13. Quels sont les pronoms employés par Pathelin et Thibaud lorsqu'ils s'adressent l'un à l'autre ? Pourquoi ?

narration :
la narration relate des événements passés.

satire :
dénonciation des vices et des ridicules.

ÉTUDIER UN THÈME : LA SATIRE* DE LA JUSTICE

14. Que promet Thibaud aux lignes 12 à 16 ?

15. À combien de reprises Thibaud fait-il la même promesse ? Relevez les passages.

16. De quoi est-il question dans la dernière réplique de Pathelin ?

17. Commentez la phrase de Thibaud : « *Je sais bien que sa cause est juste, mais si vous le voulez, vous trouverez bien un argument qui la rendra mauvaise* » (l. 41 à 43).
Quelle est la condition pour que Pathelin « *veuille* » bien trouver le fameux argument en question ?

18. En justifiant votre réponse, dites quelle est l'image que donne cette scène des avocats et de la justice.

ÉTUDIER LA FONCTION DE LA SCÈNE DANS LA PIÈCE

19. Quels sont les éléments qui lient entre elles l'affaire du drap et celle des brebis abattues ?

20. Que fait à nouveau Pathelin aux lignes 74 à 86 ?

21. Quel passage des scènes précédentes peut-on rapprocher de celui-ci ?

22. Quelle est l'information essentielle connue du spectateur et non de Pathelin ?

23. Quel est l'effet produit par ce décalage entre les informations détenues par l'un et par l'autre ?

24. Quels sont les deux éléments qui aiguisent l'intérêt du spectateur à la fin de la scène ?

25. En quelle monnaie Thibaud promet-il de payer Pathelin ? L'un des personnages a-t-il déjà fait la même promesse ? Qu'est-ce que cela laisse présager pour la suite de la pièce ?

26. À plusieurs reprises, lorsque Thibaud promet de payer Pathelin, il lui répète : « *À votre prix !* » D'ordinaire, quand c'est Pathelin qui doit payer, à quel prix le fait-il ?
Que peut-on en déduire quant à la suite de l'intrigue ?

À VOS PLUMES !

27. Réécrivez les lignes 78 à 86 en transformant les phrases au discours direct★ en discours indirect★.

discours direct : les paroles sont rapportées telles qu'elles ont été prononcées, entre guillemets.

discours indirect : les paroles rapportées s'intègrent dans le reste du récit.

28. Ce n'est pas Pathelin mais un autre avocat qui défend Thibaud, selon les règles, et sans recourir à un stratagème. Imaginez la scène du procès opposant le drapier à Thibaud et son nouvel avocat. Avant de vous lancer dans l'écriture de la scène, dressez la liste des arguments★ que vont avancer l'un et l'autre adversaires. N'oubliez pas de faire intervenir le juge, et souvenez-vous que nous sommes au théâtre (mise en page, didascalies sur le décor, gestes et ton).

LIRE L'IMAGE

29. Sur la gravure de la page 69, quels éléments du décor et des costumes permettent de situer l'époque et le lieu de l'action, ainsi que d'identifier les personnages représentés ?

argument : raison que l'on avance pour convaincre.

Vous feries bien de la tendre
Le iuge
De dea ie ailleues a entendre
Se Vostre partie est presente
Deliures Vous sans plus datente
et nestes Vous pas demandeur
Le drappier
Si suis

Les plaideurs devant le juge.
Illustration de l'édition Pierre Levet,
vers 1490. BNF.

Scène 8

PATHELIN, LE JUGE,
LE DRAPIER, LE BERGER

Au tribunal.

PATHELIN, *saluant le juge* – Dieu vous comble de bonheur, monsieur, et vous accorde tout ce que votre cœur désire.

LE JUGE – Soyez le bienvenu, monsieur. Couvrez-vous[1] donc et prenez place.

5   PATHELIN – Oh, sauf votre respect, je suis bien ici. J'y suis plus à l'aise.

LE JUGE – S'il y a une affaire à traiter, qu'on l'expédie en vitesse, afin que je lève la séance !

LE DRAPIER – Mon avocat arrive. Il termine un petit travail
10   qu'il avait en train, monsieur, et si vous n'y voyiez pas d'inconvénient, il serait bon de l'attendre.

LE JUGE – Eh, diable ! J'ai autre chose à faire ! Si la partie adverse est là, expliquez-vous sans plus tarder. N'êtes-vous pas le plaignant ?

15   LE DRAPIER – Si, c'est moi.

LE JUGE – Où est l'accusé ? Est-il présent en personne ?

LE DRAPIER, *montrant le berger* – Oui. Voyez-le là-bas, qui ne dit mot. Mais Dieu sait qu'il n'en pense pas moins !

LE JUGE – Puisque vous êtes tous les deux présents, exposez
20   votre plainte.

LE DRAPIER – Voici donc de quoi je me plains. C'est la vérité, monsieur, pour l'amour de Dieu et par charité, je l'élevai

notes

1. couvrez-vous : Pathelin a retiré son chaperon devant le juge. C'est un signe   de politesse. Le juge lui dit de le remettre.

75

quand il était enfant. Puis, quand je le vis assez fort pour être envoyé aux champs, en un mot, j'en fis mon berger, et
25   l'employai à garder mes bêtes. Mais, aussi vrai que vous êtes assis là, monsieur le juge, il a fait un tel carnage de mes brebis et de mes moutons que, sans mentir…

LE JUGE – Mais voyons, ne recevait-il pas un salaire ?

PATHELIN – Sans doute. Mais si par hasard il s'était amusé à
30   lui faire garder le troupeau sans le payer…

LE DRAPIER, *reconnaissant Pathelin* – Je désavoue Dieu, si ce n'est vous, oui, sans erreur !

                              Avec la main, Pathelin se cache le visage.

LE JUGE –Vous gardez votre main devant votre visage ! Avez-
35   vous mal aux dents, maître Pierre ?

PATHELIN – Oui, elles me livrent une guerre terrible, et jamais je n'ai souffert d'une pareille rage de dents. Je n'ose lever la tête. Pour l'amour de Dieu, faites-le continuer.

LE JUGE, *au drapier* – Allons, achevez votre plaidoyer ! Vite,
40   concluez en termes clairs !

LE DRAPIER, *à part* – C'est sûr, c'est lui, et personne d'autre ! Par la croix sur laquelle le Christ fut étendu ! *À Pathelin.* C'est à vous que j'ai vendu six aunes de drap, maître Pierre !

LE JUGE, *à Pathelin* – Qu'est-ce qu'il raconte avec son drap ?

45   PATHELIN – Il divague. Il pense en venir à son propos, mais il ne s'y retrouve plus, faute de l'avoir appris.

LE DRAPIER, *au juge* – Que je sois pendu, si c'est quelqu'un d'autre qui a emporté mon drap, sacrebleu !

PATHELIN – Comme ce méchant homme va chercher loin
50   des motifs à sa plainte ! Il veut dire – mais qu'il est mal-adroit ! – que son berger avait vendu la laine dont est fait le tissu de ma robe. C'est du moins ce que j'ai compris.

Autant dire que son berger l'a volé, et lui a subtilisé la laine de ses brebis.

55 LE DRAPIER, *à Pathelin* – Que Dieu me foudroie si ce n'est pas vous qui l'avez, ce drap !

LE JUGE – Silence ! Que diable ! Quel bavardage ! Eh, ne pouvez-vous pas revenir à votre propos sans entretenir la cour de pareilles inepties ?

60 PATHELIN, *riant* – Je souffre, mais je ne peux m'empêcher de rire. Il est déjà tellement embrouillé qu'il ne sait où il en est resté. Il faut que nous le lui rappelions.

LE JUGE, *au drapier* – Allons ! Revenons à nos moutons ! Que s'est-il passé ?

65 LE DRAPIER – Il en emporta six aunes, d'une valeur de neuf francs.

LE JUGE – Nous prenez-vous pour des imbéciles ou des fous ? Où vous croyez-vous ?

PATHELIN – Palsambleu, il vous mène en bateau ! Ah ! Il a
70 tout l'air d'un brave homme ! Mais je suggère qu'on inter-roge la partie adverse.

LE JUGE – Vous avez raison. *À part.* Il s'entretient avec lui[1]. Il ne peut pas ne pas le connaître. *Au berger.* Viens ici ! Parle !

LE BERGER – Bée !

75 LE JUGE – Voilà le bouquet ! Que signifie ce « bée » ? Me prends-tu pour une chèvre ? Réponds-moi !

LE BERGER – Bée !

---

notes

1. *il s'entretient avec lui :* le texte original est obscur. Selon toutes apparences, il s'agit de Pathelin et du berger.

LE JUGE – Que Dieu t'envoie une fièvre de tous les diables !
Te moques-tu du monde ?

80 PATHELIN – Croyez-moi, c'est un pauvre fou. Il s'imagine
sans doute être avec ses bêtes.

LE DRAPIER, *à Pathelin* – Oui, je renie Dieu si ce n'est vous
qui avez emporté mon drap, vous et personne d'autre !
Au juge. Ah, vous ne savez pas, monsieur, par quelle ruse…

85 LE JUGE – Mais taisez-vous ! Êtes-vous idiot ? Laissez
tomber ces détails, et venons-en à l'essentiel.

LE DRAPIER – Certes, monsieur, mais l'affaire me concerne.
Toutefois, j'en donne ma parole, je n'en soufflerai plus un
mot aujourd'hui. Une autre fois, il en ira différemment. Il
90 me faut avaler la pilule sans sourciller… J'expliquais donc,
dans ma requête[1], comment j'avais vendu six aunes… je
veux dire, mes brebis… Je vous en prie, monsieur, veuillez
me pardonner. Cet illustre avocat… Mon berger, quand
son travail le retenait aux champs… Il me dit que j'aurais
95 six écus d'or quand je viendrais… Je veux dire qu'il y a
trois ans, mon berger s'est engagé à garder loyalement mes
brebis, sans me causer de dommages ni me jouer de vilains
tours, puis… À présent, il nie catégoriquement m'avoir
acheté du drap, et me devoir de l'argent ! *À Pathelin.* Ah !
100 Maître Pierre, en vérité…

> *Le juge fait un geste d'impatience.*

L'escroc que voici volait la laine de mes bêtes, et bien
qu'elles fussent en pleine santé, il les faisait mourir. Il les
tuait en les frappant à grands coups de bâton sur le crâne…
105 Une fois le drap sous son bras, il s'est mis en route sans tarder, et m'a dit de venir chercher les six écus d'or chez lui.

1. requête : plainte.

LE JUGE – Il n'y a ni rime ni raison[1] dans tout ce que vous rabâchez. Qu'est-ce que cela veut dire ? Vous mélangez une histoire avec l'autre. Palsambleu ! En somme, je n'y vois goutte[2] ! *À Pathelin.* Il bredouille à propos de drap, puis bafouille à propos de brebis, un coup par-ci, un coup par-là ! Rien de ce qu'il dit n'a de sens !

PATHELIN – Mais je suis convaincu qu'il garde pour lui le salaire du pauvre berger.

LE DRAPIER – Parbleu, vous feriez mieux de vous taire ! Mon drap, aussi vrai que la messe... Je sais mieux que vous ou quiconque où le bât me blesse[3]. Tudieu, c'est vous qui l'avez !

LE JUGE – Mais qu'est-ce qu'il a ?

LE DRAPIER – Rien, monsieur. Je jure que c'est le plus grand escroc... Holà ! Je me tairai, si je peux, et je n'en parlerai plus aujourd'hui, quoi qu'il arrive.

LE JUGE – C'est bon, mais tâchez de vous en souvenir ! À présent, concluez clairement.

PATHELIN – Ce berger ne peut absolument pas répondre aux accusations dont il est l'objet sans être conseillé, et il n'ose ou ne sait demander de l'aide. S'il vous plaisait de m'ordonner de l'assister, je le ferais volontiers.

LE JUGE, *regardant le berger* – L'assister, lui ? Ce serait, je crois, une affaire bien peu rentable : c'est Jean Sans Sou !

PATHELIN – En ce qui me concerne, je vous jure que je ne veux rien tirer de lui. Que ce soit pour l'amour de Dieu ! Eh bien, je vais apprendre de ce pauvre homme ce qu'il voudra bien me dire. Peut-être pourra-t-il me fournir des

notes

1. il n'y a ni rime ni raison : cela n'a aucun sens.

2. je n'y vois goutte : je n'y comprends rien.

3. où le bât me blesse : quel est mon problème.

135 renseignements permettant de répondre aux accusations de la partie adverse. Il aurait du mal à se tirer d'affaire, si personne ne l'aidait. *Au berger.* Approche, mon ami. *Au juge, à voix basse.* Si l'on pouvait trouver… *Au berger.* Me comprends-tu ?

140 LE BERGER − Bée !

PATHELIN − Quoi « bée ! » ? Diable ! Par le saint sang que Dieu versa, es-tu fou ? Explique-moi ton affaire.

LE BERGER − Bée !

PATHELIN − Quoi « bée ! » ? Entends-tu tes brebis bêler ?
145 Comprends bien que je te parle dans ton intérêt.

LE BERGER − Bée !

PATHELIN −Voyons, réponds par « oui » ou par « non ». *À voix basse.* C'est bien ! Continue ! *À voix haute.* D'accord ?

LE BERGER, *doucement* − Bée !

150 PATHELIN − Plus fort ! Tu vas le payer cher, je le crains !

LE BERGER − Bée !

PATHELIN − Ah, il faut être encore plus fou pour intenter un procès à un fou aussi authentique que celui-là ! *Au juge.* Ah, monsieur, renvoyez-le à ses brebis ! C'est un fou véritable.

155 LE DRAPIER − Lui, fou ? Saint Sauveur des Asturies, il est plus sain d'esprit que vous !

PATHELIN, *au juge* − Renvoyez-le garder ses bêtes sans ajournement[1] ! Qu'il n'aie jamais à revenir ! Maudit soit celui qui assigne[2] et fait comparaître[3] des fous pareils !

---

notes

1. sans ajournement : sans fixer de date pour une nouvelle convocation devant le juge.

2. assigne : convoque en justice.

3. comparaître : se présenter devant le juge.

160 LE DRAPIER – On le renverra donc sans que je puisse être entendu ?

LE JUGE – Grand Dieu, oui, puisqu'il est fou ! Pourquoi ne pas le renvoyer ?

LE DRAPIER – Eh, que diable, monsieur ! Au moins avant, lais-
165 sez-moi m'expliquer et présenter mes conclusions. Ce ne sont pas des mensonges que je vous dis, ni des plaisanteries.

LE JUGE – Il n'y a que des désagréments à rendre la justice à des fous et des folles ! Écoutez-moi : pour mettre fin à ce bavardage, je vais lever la séance.

170 LE DRAPIER – Vont-ils donc s'en aller sans avoir à revenir ?

LE JUGE – Et quoi encore ?

PATHELIN – Revenir ? On n'a jamais vu plus fou, ni en acte ni en parole ! *Montrant le drapier.* Et l'autre ne vaut guère mieux : aucun des deux n'a toute sa tête ! Par la Vierge
175 Marie, à eux deux ils n'ont pas une once[1] de bon sens !

LE DRAPIER – Mon drap, maître Pierre, vous l'avez emporté par ruse, sans payer. Parbleu, pauvre et malheureux pécheur que je suis ! Vous n'avez pas agi en honnête homme.

PATHELIN – Oui, je renie saint Pierre de Rome, s'il n'est
180 complètement fou, ou en train de le devenir !

LE DRAPIER, *à Pathelin* – Je reconnais votre voix, vos vêtements et votre visage. Je ne suis pas fou ; je suis suffisamment sensé pour reconnaître ceux qui me veulent du bien !
Au juge. Je vais vous raconter toute l'histoire, monsieur,
185 je vous jure.

On rit.

---

notes

1. once : ancienne mesure de poids. S'emploie au figuré pour désigner une très petite quantité de quelque chose.

PATHELIN, *au juge* – Eh, monsieur, faites-le taire ! *Au drapier.*
N'avez-vous pas honte de tant vous quereller avec ce
berger, pour trois ou quatre méchantes vieilles brebis ou
190   moutons, qui ne valent pas un clou ? *Au juge.* Il en fait une
plus grosse histoire…

LE DRAPIER – Quels moutons ? Toujours le même refrain !
C'est à vous-même que je m'adresse, et vous me le
rendrez, par le Dieu qui voulut naître à Noël !

195   LE JUGE – Vous entendez ? Me voici bien loti ! Il ne cessera
aujourd'hui de brailler !

LE DRAPIER – Je lui demande…

PATHELIN, *au juge* – Faites-le taire ! *Au drapier.* Eh, parbleu,
assez plaisanté ! Admettons qu'il en ait assommé six ou
200   sept, ou même une douzaine, et qu'il les ait mangées,
quelle affaire ! Vous voilà bien appauvri ! Vous avez gagné
bien plus tout le temps qu'il vous les a gardées.

LE DRAPIER, *au juge* – Voyez, monsieur, voyez ! Je lui parle
drap, et il répond brebis ! *À Pathelin.* Les six aunes de drap,
205   où sont-elles, celles que vous avez mises sous votre bras ?
Ne comptez-vous pas me les rendre ?

PATHELIN, *au drapier* – Ah, monsieur ! Le ferez-vous pendre
pour six ou sept bêtes à laine ? De grâce, reprenez vos
esprits ! Ne soyez pas si dur envers un pauvre berger si
210   misérable, aussi nu qu'un ver !

LE DRAPIER – Voilà qui est habilement changer de sujet !
C'est à coup sûr le diable qui m'a fait vendre du drap à un
tel filou ! Mordieu, monsieur, je lui demande…

LE JUGE – Je l'acquitte de votre accusation, et vous interdis
215   de poursuivre. Il y a de quoi être fier de plaider contre un
fou ! *Au berger.* Retourne à tes bêtes.

LE BERGER – Bée !

Le juge, *au drapier* – Vous montrez bien qui vous êtes, monsieur, par le sang de Notre-Dame !

220 **Le drapier** – Mais diable, monsieur ! Sur mon âme, je veux lui…

Pathelin, *au juge* – Ne finira-t-il pas par se taire ?

Le drapier, *se retournant vers Pathelin* – C'est à vous que j'ai affaire ! Vous m'avez méchamment trompé, et avez

225 emporté mon drap comme un voleur, grâce à vos belles paroles.

Pathelin, *au juge* – Oh, j'en appelle à ma conscience ! Et vous, écoutez-le bien, monsieur !

Le drapier, *à Pathelin* – Que Dieu m'aide, vous êtes le

230 plus grand trompeur… ! *Au juge.* Monsieur, il faut que je vous dise…

Le juge – C'est une véritable farce que vous nous jouez tous les deux ! Quel tapage ! Dieu m'assiste ! Je suis d'avis de partir. *Il se lève et s'adresse au berger.* Pars, mon ami, et ne

235 reviens jamais, même si un sergent te donne une assignation. La cour t'acquitte ! As-tu bien compris ?

Pathelin, *au berger* – Dis : « Grand merci ! »

Le berger – Bée !

Le juge, *au berger* – Je dis bien : pars ! Ne te fais plus aucun

240 souci !

Le drapier – Mais est-il juste qu'il parte ainsi ?

Le juge, *quittant son tribunal* – Ah ! J'ai à faire ailleurs ! Vous vous moquez un peu trop du monde, et vous ne me retiendrez pas plus longtemps ici. Je m'en vais ! Voulez-vous

245 venir dîner avec moi, maître Pierre ?

Pathelin, *portant la main à sa mâchoire* – Je ne peux pas !

Le juge s'en va.

EXTRAIT DU TEXTE ORIGINAL
EN MOYEN FRANÇAIS

*Le passage se situe au début du procès, lorsque le juge ordonne
à Guillaume d'exposer sa plainte contre Thibaud.*

LE JUGE

Puis que vous estes en presence,
Vous deux, faictes vostre demande.

LE DRAPIER

Vecy doncques que luy demande :
Monseigneur, il est verité
5 Que pour Dieu et en charité
Je l'ay nourry en son enfance,
Et quant le vis qu'il eust puissance
D'aler aux champs, pour abregier,
Je le fis estre mon bergier
10 Et le mis a garder mes bestes ;
Mais, aussi vray comme vous estes
La assis, monseigneur le juge,
Il en a fait ung tel deluge
De brebis et de mes moutons
15 Que sans faultë…

LE JUGE

       Or escoutons :
Estoit il point vostre aloué ?

PATHELIN

Voire, car, s'il s'estoit joué
À le tenir sans alouer…

LE DRAPIER, *reconnaissant Pathelin*

Je puisse Dieu desavouer

20 Se ce n'estes vous, vous sans faulte !

Pathelin se cache la figure.

LE JUGE

Comment vous tenez la main haulte !

Av'ous mal aux dents, maistre Pierre ?

PATHELIN

Ouÿ, elles me font tel guerre

Qu'oncques mais ne senty tel raige :

25 Je n'ose lever le visaige.

Pour Dieu, faictes le proceder.

Les plaideurs devant le juge. *La Farce de Maître Pathelin* à la Comédie-Française.
Archives de la Comédie-Française.

Au fil du texte

AVEZ-VOUS BIEN LU ?

1. Pathelin se présente-t-il tout au long de la scène comme l'avocat de Thibaud ?

2. De quoi Pathelin accuse-t-il le drapier à trois reprises ?

3. Dans l'exposé de la plainte du drapier (l. 87 à 106), soulignez en vert ce qui se rapporte à l'affaire des moutons, et en rouge à celle du drap.

4. Quelle est la décision du juge concernant Thibaud ?

5. Que décide-t-il pour le drap volé par Pathelin ?

synonymes : mots ou expressions ayant le même sens ou un sens voisin.

ÉTUDIER LE VOCABULAIRE

6. *« Eh, ne pouvez-vous pas revenir à votre propos sans entretenir la cour de pareilles inepties ? »* (l. 57 à 59). Remplacez le mot souligné par le ou les termes synonymes★.
- ☐ grimaces
- ☐ discours
- ☐ sottises
- ☐ histoires

7. Quel est le sens du verbe *« sourciller »* (l. 90) ? Donnez un mot de la même famille. Quel est le rapport entre ce mot et le sens de *« sourciller »* ?

8. Dans quel sens le juge emploie-t-il l'expression *« Revenons à nos moutons ! »* (l. 63) ? Aujourd'hui, dans quel sens cette expression est-elle employée ?

ÉTUDIER LA FONCTION DE LA SCÈNE DANS LA PIÈCE

9. Comparez la longueur de cette scène à celle des précédentes.
Que constatez-vous ?

10. Quelles sont les deux scènes déjà étudiées dont vous pouvez rapprocher celle-ci ? Quels sont les éléments qui permettent de dire que ces scènes sont les plus importantes de la pièce ?

satire : **dénonciation des vices et des ridicules.**

ÉTUDIER UN THÈME : LA SATIRE* DE LA JUSTICE

11. Comment apparaît le juge au début de la scène ?

12. Le juge déconseille à Pathelin de se faire l'avocat de Thibaud, parce que :
☐ Thibaud est fou.
☐ Le juge est pressé et veut lever la séance.
☐ Thibaud a été pris sur le fait, et sa cause est perdue d'avance.
☐ Thibaud est pauvre et ne pourra payer Pathelin.

13. Relevez tous les éléments qui montrent que c'est Pathelin, et non le juge, qui dirige la séance.

14. À la fin de la scène, qu'est-ce qui prouve que Pathelin sort en grand vainqueur des deux procès ?

15. En vous appuyant sur la peinture du caractère de Pathelin, sur l'analyse de la scène 7, et sur les questions précédentes, dites quelle est l'image de la justice dans cette farce.

ÉTUDIER LE DISCOURS

16. Lorsque Pathelin dit au juge « *Palsambleu, il vous mène en bateau !* » (l. 69), quel sentiment cherche-t-il à provoquer chez le juge ?

17. En parlant du drapier, Pathelin s'exclame : « *Il a tout l'air d'un brave homme !* » (l. 69-70).
a) Pense-t-il réellement ce qu'il dit ? Justifiez votre réponse en vous appuyant sur le texte.
b) Comment s'appelle la figure de style★ employée par Pathelin ?
c) Sur quel ton cette réplique doit-elle être prononcée ?

18. Que pensez-vous de la réflexion de Pathelin aux lignes 131-132 par rapport à ce qu'a montré la scène précédente ?

figure de style : forme d'expression à laquelle on recourt pour produire un effet particulier. Exemples : répétition, comparaison, métaphore…

ÉTUDIER L'ÉCRITURE

Vous vous reporterez à l'extrait du texte original reproduit pages 84-85.

19. Quelle différence relevez-vous entre l'aspect de ce texte et celui de la traduction qui vous est proposée dans votre livre ? D'ordinaire, quels types de textes se présentent ainsi ?

20. Quel est le nombre de syllabes par lignes, et quel nom portent ces lignes ?

21. Que remarquez-vous lorsque vous comparez les sonorités finales des derniers mots de chaque ligne ?

22. Sans regarder la traduction de votre livre, proposez la vôtre. Voici quelques précisions : un « *aloué* » loue ses services en échange d'un salaire ; « *sans alouer* » signifie qu'aucun contrat de travail n'a été établi et que l'employé n'est pas payé ; « *voire* » signifie « sans doute ».

À VOS PLUMES !

23. Imaginez que vous êtes le drapier, et expliquez clairement au juge ce dont vous accusez Pathelin. Veillez à fournir les informations essentielles, mais sans vous perdre dans les détails. Soyez clairs et brefs : monsieur le juge est pressé !

24. Choisissez quelqu'un de votre entourage, et faites-en un portrait ironique★ en employant des antiphrases★.

25. Votre classe part en voyage. Un élève propose la mer, un autre la montagne. Imaginez leur face-à-face. Chacun cherche à convaincre le professeur et le reste de la classe que son choix est le meilleur. Avant de commencer à écrire, établissez la liste des arguments★ auxquels l'un et l'autre vont recourir.

ironie :
façon de se moquer en disant le contraire de ce que l'on pense vraiment.

antiphrase :
consiste dans l'emploi d'une expression, par ironie notamment, pour signifier exactement son contraire.

argument :
raison que l'on avance pour convaincre.

LIRE L'IMAGE

26. Sur la gravure de la page 74 et la photographie de la page 86, quels éléments permettent d'identifier le lieu de l'action et les différents personnages ?

27. Sur la photographie de la page 86, comment sont répartis les personnages ?

28. Page 86, que regarde chacun des personnages et vers lequel d'entre eux les regards convergent-ils ? Quel personnage semble en retrait et pourquoi ?

Scène 9

PATHELIN,
LE DRAPIER

Devant le tribunal.

LE DRAPIER, *à voix basse, à Pathelin* – Ah, sacrée canaille ! *À voix haute, avec un ton plus cérémonieux.* Dites-moi ! Serai-je payé ?

PATHELIN – De quoi ? Êtes-vous fou ? Mais qui croyez-vous
5   que je sois ? Par mon propre sang, je me demande bien pour qui vous me prenez.

LE DRAPIER – Bée ! Diable !

PATHELIN – Cher monsieur, écoutez donc ! Je vais vous dire, sans plus tarder, pour qui vous me prenez. N'est-ce pas
10   pour l'Écervelé[1] ? *Levant son chaperon.* Regarde ! Mais non ! Il n'est pas chauve comme moi, sur le haut du crâne.

LE DRAPIER – Voulez-vous me faire passer pour simple d'esprit ? C'est vous en chair et en os, oui, vous-même ! Votre voix vous trahit, sachez-le, il n'en est pas autrement.

15   PATHELIN – Moi en personne ? Non vraiment, ce n'est pas moi. Ôtez-vous cette idée de la tête. Ne me prendriez-vous pas pour Jean de Noyon[2] ? Nos carrures sont semblables.

LE DRAPIER – Non, diable, il n'a pas votre blême[3] visage
20   d'ivrogne ! Ne vous ai-je pas laissé malade chez vous, il y a un instant ?

PATHELIN – Ah ! Le bel argument que voici ! Malade ? Et de quelle maladie ? Reconnaissez votre bêtise, elle est évidente à présent !

notes

1. l'Écervelé : sans doute le fou d'un roi.   *2. Jean de Noyon :* saint Jean.   *3. blême :* pâle.

25 LE DRAPIER – C'est vous, ou je renie saint Pierre ! Vous, et personne d'autre ! J'en suis certain, c'est la pure vérité !

PATHELIN – Eh bien, n'en croyez rien, car assurément, ce n'est pas moi ! Je ne vous ai jamais pris une aune, ni même une demi-aune de drap. Je n'ai pas cette réputation !

30 LE DRAPIER – Ah, palsambleu, je vais voir chez vous si vous y êtes ! Nous ne nous casserons plus la tête ici, si je vous trouve là-bas !

PATHELIN – Par Notre-Dame, c'est cela ! Vous en aurez ainsi le cœur net !

Le drapier part.

Scène 10

PATHELIN,
LE BERGER THIBAUD

Devant le tribunal.

PATHELIN, *au berger* – Dis, l'Agnelet.

LE BERGER – Bée !

PATHELIN – Viens ici, viens. Ton affaire est-elle bien réglée ?

LE BERGER – Bée !

5 PATHELIN – La partie adverse s'est retirée. Ne dis plus « Bée ! » ce n'est plus la peine ! Ne l'ai-je pas bien embobiné ? Ne t'ai-je pas conseillé comme il fallait ?

LE BERGER – Bée !

PATHELIN – Eh, diable ! On ne t'entendra pas : parle sans
10 crainte ! N'aie pas peur !

LE BERGER – Bée !

PATHELIN – Il est temps que je parte. Paie-moi !

LE BERGER – Bée !

PATHELIN – À dire vrai, tu as très bien joué ton rôle, tu t'es
15   montré à la hauteur. Ce qui lui a donné le change, c'est
que tu t'es retenu de rire.

LE BERGER – Bée !

PATHELIN – Quoi « Bée » ? Tu n'as plus besoin de le dire.
Paie-moi généreusement.

20 LE BERGER – Bée !

PATHELIN – Quoi « Bée » ? Parle correctement ! Paie-moi, et
je m'en irai.

LE BERGER – Bée !

PATHELIN – Tu sais quoi ? Je suis en train de te dire – et je
25   t'en prie, cesse de bêler après moi – de songer à me payer.
J'en ai assez de tes bêlements ! Paie-moi en vitesse !

LE BERGER – Bée !

PATHELIN – Te moques-tu de moi ? Ne feras-tu rien d'autre ?
Je te jure que tu vas me payer, tu entends, à moins que tu
30   ne t'envoles ! Allons ! Mon argent !

LE BERGER – Bée !

PATHELIN – Tu plaisantes ! Comment ça ? N'obtiendrai-je
rien d'autre ?

LE BERGER – Bée !

35 PATHELIN – Tu fais le malin ! Et à qui donc penses-tu faire
avaler tes salades[1] ? Sais-tu ce qu'il en est ? Désormais ne
me rebats plus les oreilles de ton « bée », et paie-moi !

LE BERGER – Bée !

---

notes

1. salades : histoires.

PATHELIN – Ne serai-je pas payé d'une autre monnaie ? De
40 qui crois-tu te jouer ? Moi qui devais être si content de
toi ! Eh bien, fais en sorte que je le sois !

LE BERGER – Bée !

PATHELIN – Me fais-tu manger de l'oie ? *À part.* Sacrebleu !
N'ai-je tant vécu que pour qu'un berger, un mouton en
45 habit, un ignoble rustre se paie ma tête ?

LE BERGER – Bée !

PATHELIN – N'entendrai-je rien d'autre ? Si tu fais cela pour
t'amuser, dis-le, et ne me force pas à discuter davantage !
Viens donc souper chez moi !

50 **LE BERGER** – Bée !

PATHELIN – Par saint Jean, tu as raison, les oisons mènent
paître les oies. *À part.* Moi qui me prenais pour le maître
de tous les trompeurs d'ici et d'ailleurs, des escrocs, des
faiseurs de belles promesses à tenir au jour du Jugement
55 dernier, et voilà qu'un berger des champs me surpasse !
Au berger. Par saint Jacques, si je trouvais un sergent, je te
ferais arrêter !

LE BERGER – Bée !

PATHELIN – Ah, oui ! Bée ? Que je sois pendu si je ne vais
60 appeler un bon sergent ! Malheur à lui s'il ne te met pas
en prison !

LE BERGER, *s'enfuyant* – S'il me trouve, je lui pardonne !

EXTRAIT DU TEXTE ORIGINAL
EN MOYEN FRANÇAIS

*À l'extrême fin de la pièce, Pathelin trouve en Thibaud,
apparemment si naïf, son maître en tromperie.*

PATHELIN

Me fais tu mengier de l'oe ?

À part.

Maugré bieu ! ay je tant vescu
Qu'ung bergier, ung mouton vestu,
Ung villain paillart me rigolle ?

LE BERGER

5   Bee !

PATHELIN

N'en auray je aultre parolle ?
Se tu le fais pour toy esbatre,
Dy le, ne m'en fays plus debatre.
Vien t'en soupper a ma maison.

LE BERGER

Bee !

PATHELIN

Par Saint Jehan, tu as raison :
10 Les oisons mainnent les oes paistre !

À part.

Or cuidoye[1] estre sur tous maistre,
Des trompeurs d'icy et d'ailleurs,
Des fort coureux[2] et des bailleurs
De parolles en payement,

15 A rendre au jour du jugement,
Et ung bergier des champs me passe !

Au berger.

Par saint Jacques ! se je trouvasse
Ung sergent, je te fisse prendre !

LE BERGER

Bee !

PATHELIN

Heu, « bee » ! L'en me puisse pendre
20 Se je ne vois faire venir
Ung bon sergent ! Mesadvenir
Luy puisse il s'il ne t'enprisonne !

LE BERGER, *s'enfuyant*

S'il me treuve, je luy pardonne !

FIN

notes

1. **cuidoye :** première
personne du verbe « *cuidier* »
qui signifie « penser, croire ».

2. **coureux :** terme qui
désigne des escrocs.

Au fil du texte

QUE S'EST-IL PASSÉ ENTRE-TEMPS ?

1. Que décide Guillaume pour ne plus douter de l'identité du voleur de drap ?

2. L'affaire du drap est-elle réglée ? Justifiez votre réponse.

AVEZ-VOUS BIEN LU ?

3. De quoi Pathelin félicite-t-il Thibaud ?

4. Pourquoi se fâche-t-il contre lui ?

5. Pourquoi le berger se sauve-t-il à la fin de la scène ?

ÉTUDIER LE VOCABULAIRE ET LA GRAMMAIRE

6. Ligne 43, Pathelin demande à Thibaud : « *Me fais-tu manger de l'oie ?* » Qui devait manger de l'oie auparavant ? Déduisez-en le sens figuré★ dans lequel l'expression est employée ici.

7. Que veut dire Pathelin lorsqu'il remarque que « *les oisons mènent paître les oies* » (l. 51-52) ?

8. À partir de quel mot est formé le verbe « *souper* » ? Quel verbe lui préfère-t-on aujourd'hui ? En vous aidant d'un dictionnaire historique, recherchez l'histoire de « *souper* ».

9. Quel est le type de phrase★ employé par Pathelin lorsqu'il dit à Thibaud : « *Viens ici, viens* » (l. 3) ? Relevez toutes les phrases de même type, et justifiez leur nombre important dans cette scène.

---

sens figuré :
sens dérivé d'un mot ou d'une expression.

type de phrase :
on classe les phrases en différents types : déclaratives, interrogatives et impératives.

ÉTUDIER UN THÈME : LE TROMPEUR TROMPÉ

10. À la scène 7, en quelle monnaie Thibaud promettait-il de rémunérer Pathelin ?

11. Quelle est la réponse de Thibaud aux multiples demandes de le payer que lui fait Pathelin ?
De quel autre passage de la pièce peut-on rapprocher cette réponse ?

12. Récapitulez les éléments permettant de dire que la tromperie du drapier se répète sur Pathelin.

13. Quels sont les deux trompeurs trompés de la pièce ?

14. Quel proverbe cette farce illustre-t-elle ?

ÉTUDIER LA FONCTION DE LA SCÈNE DANS LA PIÈCE

15. Comment appelle-t-on la dernière scène d'une pièce de théâtre ?

16. Au début de la scène, quel est le problème qui reste à régler ? Est-il réglé à la fin de la scène ?

17. Comparez les scènes 9 et 10. Quels points communs et quelles différences relevez-vous ?

18. En comparant la manière dont se concluent les deux affaires, que pouvez-vous dire de l'image de la justice dans cette farce ?

ÉTUDIER L'ÉCRITURE

19. Sans regarder la traduction de votre livre, exercez vos talents de traducteur sur les vers en moyen français reproduits pages 95-96.

À vos plumes !

20. Pathelin appelle un sergent. Imaginez la scène entre les trois personnages, en veillant à respecter la cohérence avec le reste de la pièce : le ton et le caractère des personnages restent identiques.

21. Votre disque préféré a disparu. Vous soupçonnez votre petit frère, et vous lui demandez de vous le rendre. Dans un dialogue d'une quinzaine de lignes, imaginez votre discussion, en veillant à moduler le ton des répliques, de la demande gentille à l'ordre catégorique, et à employer, comme Pathelin, des phrases impératives.

Mise en scène

22. Pour chaque réplique, y compris celles de Thibaud, notez soigneusement le ton sur lequel elle est prononcée, ainsi que les mimiques et les gestes des interlocuteurs.

23. Avec un camarade, amusez-vous à jouer cette dernière scène, en interprétant un rôle, puis l'autre. Conformément au genre de la farce, et en vous appuyant sur le travail effectué pour la question précédente, n'hésitez pas à accentuer gestes et mimiques.

Retour sur l'œuvre

Qu'avez-vous retenu de La Farce de Maître Pathelin ?

1. Qui suis-je ?

a) Je me plains d'être pauvre alors que je cache de beaux écus.

b) J'ai l'air naïf, mais je suis le plus rusé de tous.

c) J'ai la réputation de tromper les gens, et rares sont ceux qui viennent me voir pour que je prenne leur défense.

d) À vouloir aller trop vite quand j'exerce mon métier, je le fais mal et me trompe au moment de conclure.

e) Je critique ceux qui trompent les autres, mais je suis leur complice.

2. Qui trompe qui ? Reliez les trompeurs avec ceux qu'ils trompent, en justifiant chacune des flèches.

Trompeurs	Trompés
Pathelin •	• Pathelin
Guillaume •	• Guillaume
Guillemette •	• Guillemette
Le juge •	• Le juge
Le berger •	• Le berger

3. Vérifiez que vous avez compris l'intrigue de la pièce en répondant aux questions suivantes :

a) Quelles sont les deux affaires dont il est question dans cette farce ?

b) Par quel personnage sont-elles liées ?

c) Dans quelle scène voit-on qu'elles sont étroitement imbriquées ?

4. Pour résumer la pièce, remettez les propositions suivantes dans l'ordre :

a) Par des paroles flatteuses, il trompe le drapier Guillaume, qui lui cède sa marchandise à crédit.

b) Le drapier attaque son berger en justice.

c) Celui–ci, alors qu'il pense avoir gagné sur tous les plans, est finalement berné par Thibaud, qui s'envole sans le payer.

d) Guillaume s'emmêle, confond l'affaire du drap et des brebis, et passe pour fou.

e) Pathelin, avocat véreux, a besoin de vêtements neufs, mais il n'a pas le moindre sou.

f) Il n'obtiendra rien de Thibaud, qui est acquitté, et rien non plus de Pathelin.

g) Tous se retrouvent face au juge.

h) Il se rend néanmoins à la foire pour tenter de se procurer du tissu sans payer.

i) Lorsque Guillaume vient réclamer son argent, Pathelin feint d'être mourant, et le marchand, à nouveau berné, rentre bredouille chez lui.

j) Pour se défendre, celui–ci fait appel à Pathelin.

QUE SAVEZ-VOUS DU GENRE DE LA FARCE ?

5. Pour vérifier que vous avez retenu ce qui caractérisait la farce, répondez par vrai ou faux.

	V	F
a) Les personnages appartiennent à la petite bourgeoisie des villes ou au peuple.	☐	☐
b) Toute l'intrigue repose sur la ruse de Pathelin.	☐	☐
c) Avant tout, la pièce cherche à faire rire.	☐	☐
d) Il n'y a aucune leçon à tirer de la pièce.	☐	☐
e) L'histoire est compliquée.	☐	☐

6. Associez les éléments de la farce (les lettres) aux types de comique qu'ils illustrent (les chiffres) :

a) La mine grimaçante du drapier face à Pathelin mourant.

b) Les délires en patois de Pathelin.

c) Le contraste entre les « *parlez bas* » de Guillemette, et ses cris.

d) La confusion du drapier qui mêle les deux affaires lors du procès.

e) Les termes grossiers employés par Pathelin pour décrire sa maladie.

f) L'avarice du drapier et sa sensibilité à la flatterie.

g) La fausse naïveté du berger.

h) Scène 5, la reprise de « *rendre* » dans un sens différent.

i) À la fin de la scène 2, le contraste entre le drapier pensant avoir berné Pathelin et la situation réelle.

j) La peinture de l'avocat sans scrupule ou du juge pressé.

1) Comique de gestes.   3) Comique de situation.
2) Comique de mots.   4) Comique de caractère.

7. Montrez que vous avez saisi les différents aspects de la satire en choisissant les bonnes suites aux propositions suivantes :

Je suis avocat et

a) je défends les pauvres et les opprimés.

b) je défends ceux qui me paient généreusement.

c) j'ai mauvaise réputation.

d) je défends ceux qui ont raison.

Je suis juge et

a) je condamne le coupable.

b) j'acquitte le coupable.

c) je m'applique dans mon métier.

Je suis marchand et

a) je triche sur la quantité du tissu vendu.

b) je vends ma marchandise à un prix honnête.

c) j'ai du mal à gagner ma vie.

d) j'exploite ceux qui travaillent pour moi.

Dossier
Bibliocollège

Schéma dramatique

SCÈNES	ACTION
SCÈNE 1	Pathelin et Guillemette ont besoin de nouveaux vêtements, mais n'ont pas l'argent nécessaire.
SCÈNE 2	Pathelin achète à crédit du tissu au drapier Guillaume et emporte la marchandise.
SCÈNE 5	Pathelin feint d'être mourant et réussit à ne pas payer Guillaume.
SCÈNE 6	Guillaume accuse son berger Thibaud de voler ses brebis.
SCÈNE 7	Thibaud demande à Pathelin de le défendre.
SCÈNE 8	Pathelin et Guillaume se retrouvent face au juge. Le berger est acquitté.
SCÈNE 9	Guillaume n'obtient rien de Pathelin.
SCÈNE 10	Pathelin n'obtient rien de Thibaud.

N.B. : N'offrant pas de progression notable de l'action, les scènes 3 et 4 ne figurent pas dans le schéma dramatique.

Il était une fois un mystérieux auteur...

HYPOTHÈSES SUR UN DRAMATURGE INCONNU

L'identité de notre écrivain a fait couler beaucoup d'encre. Était-ce un moine ou un clerc* ? un joueur de farce nommé Pathelin ou le célèbre poète Villon ? Pour séduisantes que soient les multiples hypothèses, aucune n'est totalement convaincante. Seul le texte fournit des informations dignes de foi.

La scène du procès, l'abondance et la précision des détails judiciaires témoignent d'une culture juridique étendue. L'auteur se moque de faiblesses et de défauts qu'il connaît bien, et sans doute était-il membre du palais de justice.

Autre certitude, l'origine géographique. La pièce est écrite dans la langue parlée en Île-de-France, le francien. Mais certaines tournures sont propres aux parlers picard et normand. L'écu utilisé par les personnages (voir scène 2) est normand : il vaut vingt-quatre sous, et non trente comme en Île-de-France. Enfin, l'auteur exerce sa verve satirique contre les drapiers et les avocats, deux groupes très puissants à Rouen.

Ainsi, il semblerait que le mystérieux auteur de *La Farce de Maître Pathelin* était membre du palais de justice, et exerçait en Normandie, à Rouen. Quant à la première représentation de son œuvre, les avis sont partagés : Rouen ou Paris, nul ne sait…

Vocabulaire

clerc :
celui qui est entré dans l'état ecclésiastique, puis homme lettré, savant.

QUI SONT LES AUTEURS DE THÉÂTRE AU MOYEN ÂGE ?

À l'époque, il n'est pas rare que les auteurs de théâtre, mais aussi de poésies ou de romans, restent anonymes. Les auteurs de petites pièces dans le genre de *Pathelin* étaient généralement des officiers de justice.

Au XIVe siècle, ils s'étaient regroupés dans des compagnies ou confréries, dont la plus célèbre était la Basoche parisienne. Chaque année, en juin, ils organisaient des fêtes, dans l'esprit de Carnaval. Les petites gens jouaient aux personnages puissants et se moquaient d'eux. Maires, avocats, juges et autres notabilités qu'il fallait respecter avec soin le reste de l'année se voyaient ridiculisés.

C'est dans cette atmosphère que naît *La Farce de Maître Pathelin*. Vraisemblablement composée par un membre de la Basoche connaissant bien le milieu des juristes dont il fait partie, représentée à l'occasion de ces fêtes où tout semble permis, et où les hiérarchies sont momentanément abolies, la pièce malmène marchands et représentants de l'ordre. Si elle nous est parvenue, c'est en raison du vif succès qu'elle a rencontré, car sans doute n'était-elle au départ qu'une pièce parmi d'autres, ne devant pas survivre au temps de la fête.

À retenir

La Farce de Maître Pathelin :
– Un auteur inconnu, sans doute membre du palais de justice et originaire de Normandie.
– Une pièce née dans le cadre des fêtes de la Basoche et imprégnée de l'esprit de Carnaval.

Le théâtre en France à la fin du Moyen Âge

LA SITUATION POLITIQUE ET ÉCONOMIQUE

Au XIVe siècle, guerre de Cent Ans et peste noire déciment la population. En ces temps difficiles, on n'a pas le cœur à s'amuser, et le théâtre décline. Mais dans la seconde moitié du XVe siècle, la stabilité politique et la reprise économique, inaugurées par le règne de Louis XI, sont propices au renouveau des arts. La joie retrouvée, le théâtre comique se développe, au côté d'une poésie courtoise chantant les nobles sentiments.

CROISSANCE DES VILLES ET PROSPÉRITÉ DES MARCHANDS

Les villes se développent, et avec elles la petite bourgeoisie. Entre une aristocratie à la recherche d'un plus grand confort et le petit peuple à l'existence précaire, artisans et marchands, hommes de loi et gouverneurs des villes occupent une place croissante. Cupides et malhonnêtes, n'hésitant pas à tromper leurs clients et à exploiter leurs employés, les commerçants sont violemment critiqués. Les procès ont beau se multiplier, que faire contre ces puissants personnages, souvent maires ou juges par ailleurs ? Seul remède alors, le rire. Parce qu'elle renverse momentanément les rôles et se moque de ces hommes corrompus, la farce permet de supporter une situation souvent intolérable. Son succès est assuré.

À retenir

XIVe siècle : guerre de Cent Ans, peste noire et déclin du théâtre.

Seconde moitié du XVe siècle : conditions politiques et économiques favorables au théâtre et à la poésie.

La société au XVe siècle :
– Essor des villes et croissance de la petite bourgeoisie.
– Malhonnêtes mais puissants, les marchands sont critiqués mais restent hors d'atteinte.

Enluminure d'un manuscrit (vers 1400) représentant l'échoppe d'un drapier.

Un théâtre au cœur de la cité

• Théâtre religieux et théâtre profane

Religieux ou profane*, le théâtre est au centre de la vie quotidienne médiévale. À l'intérieur, ou sur le parvis* des églises et dans la rue, joué sur de simples tréteaux, il attire les femmes allant au marché, les étudiants, les bourgeois et les gentilshommes. Scènes marquantes de la vie du Christ ou d'un saint, danses et acrobaties se mêlent pour les instruire et les divertir. Étroitement liés, théâtre religieux et théâtre profane offrent une peinture réaliste des mœurs et ont tous deux le goût du comique.

• Acteurs, lieux, décors et costumes

« Jongleurs » ou « joueurs de rôle », le statut des acteurs est mal connu. Souvent étudiants en droit, membres de groupes, tels les Clercs de la Basoche ou les Enfants Sans Souci, ils sont aussi auteurs. De simples tréteaux tiennent lieu de scène, et il n'y a pas, à proprement parler, de décor. Le spectateur a constamment devant lui tous les lieux de l'action, que celle-ci s'y déroule ou non. Dans *La Farce de Maître Pathelin*, la maison de l'avocat, la boutique du drapier et le tribunal sont tous, et sans cesse, sous les yeux du public. Ce sont les déplacements des personnages qui marquent l'éloignement entre les différents endroits. Accessoires et costumes sont sommaires. Un lit ou une chaise figurent l'intérieur d'une maison, un chaperon la condition d'avocat. La plupart du temps, les acteurs s'habillent comme ils l'entendent, et c'est au spectateur d'imaginer le lieu de l'action et le costume manquant.

À retenir

Le théâtre :
– Théâtre religieux et théâtre profane sont étroitement liés.
– Théâtre de rue ouvert à tous, mêlant sérieux et comique, il est joué par des non-professionnels dans un décor inexistant.

Vocabulaire

profane :
qui est étranger à la religion.

parvis :
espace situé devant une église.

Spectacle à la foire Saint-Germain sur les marchands d'Orviétan (remède miracle). Gravure, vers 1620-1630.

Maître Pathelin,
entre farce et comédie

Qu'est-ce qu'une farce ?

• Les origines

Dans la seconde moitié du XVe siècle, une petite pièce comique en vers, la farce, remporte un vif succès. Deux personnages se disputent, et ce sont des bastonnades à n'en plus finir, dans le seul but de faire rire. Venus assister à de longs spectacles sérieux, les spectateurs ont besoin de détente. Les farces jouent ce rôle : elles interrompent les représentations, elles les « farcissent », comme les publicités suspendent les films à la télévision.

• Les sujets et les personnages

Représentant toujours un bon tour joué à une dupe, la farce a pour victime favorite le cocu ridicule, berné par une épouse rusée, ou le benêt, personnage abêti par l'étude, sans le moindre esprit critique et qui, face à une femme, se révèle dans toute sa stupidité. Peu nombreux, membres du peuple ou de la petite bourgeoisie urbaine, les personnages représentent moins un homme ou une femme particuliers qu'une condition et un trait de caractère : la femme volage, le mari jaloux ou, dans *Pathelin*, le marchand cupide et l'avocat rusé. Ils sont désignés par leur fonction, ou un nom symbolique : *Guillaume* est synonyme d'*idiot*, et l'*Agnelet* va bien à un berger qui sera mangé ou bêlera sans arrêt.

• Réalisme, comique et dimension morale

Peinture réaliste des hommes, représentés dans leur vie

À retenir

Les caractéristiques de la farce :
– Petite pièce aux personnages peu nombreux et stéréotypés, montrant un bon tour joué à une dupe.
– Réaliste et comique, elle est aussi morale.

quotidienne et avec leurs éternels défauts, la farce veut avant tout faire rire. Même si elle montre un monde dur où règne la ruse, le comique est essentiel. Coups de bâton et déguisements, jurons et jeux de mots, satire des marchands et des juristes, rien n'est oublié. Mais au-delà du pur divertissement, la farce offre une leçon morale.

Fine analyse psychologique et dénonciation des vices et des ridicules annoncent la comédie de mœurs et Molière.

LA FARCE DE MAÎTRE PATHELIN, DÉJÀ UNE COMÉDIE

• L'unité de la comédie classique

Chef-d'œuvre du genre, plus élaborée que les pièces contemporaines, *La Farce de Maître Pathelin* présente une action unie par la ruse de l'avocat, qui enchaîne tromperie sur tromperie. Étroitement liées, les affaires du drap et des brebis n'en forment qu'une.

• Des procédés comiques élaborés

Si les termes grossiers ne sont pas exclus, les portraits du père de Guillaume par Pathelin, ou du drapier par l'avocat et sa femme annoncent ceux de Célimène dans *Le Misanthrope* de Molière. À travers eux, les auteurs veulent faire rire.

Autre procédé comique, les récits. Raconter une scène à laquelle le spectateur vient d'assister permet de la savourer à nouveau, comme lorsque Pathelin décrit à Guillemette la manière dont il a trompé Guillaume et a emporté le drap sans payer.

/>

Maître Pathelin, entre farce et comédie

• Des personnages individualisés

Motivations intimes, penchants et défauts sont représentés avec plus de précision que dans les autres farces. Plus fouillée, l'analyse psychologique permet aux personnages d'échapper aux stéréotypes.

• Une mise en scène complexe

En accord avec la recherche d'élaboration dont témoigne la pièce, les lieux de l'action se multiplient. Tour à tour, la maison de Pathelin, la boutique du drapier et le tribunal sont investis par les personnages.

Groupement de textes :
Les métamorphoses de la farce

Personnage de Polichinelle dans une représentation de la foire Saint-Germain.

De tous les genres comiques du Moyen Âge, seule la farce a survécu. Critiquée au XVIe siècle, elle attire néanmoins un public nombreux. Mêlée à la *commedia dell'arte* au siècle suivant, elle perdure, et les farceurs Tabarin, Gaultier-Garguille et Gros-Guillaume, personnage enfariné affublé d'un énorme ventre, remportent un franc succès. Mais considérée comme juste bonne à divertir le peuple, elle tombe peu à peu en discrédit. Cela n'empêche pas Molière de reprendre ses procédés, qu'il sait efficaces. Jeux certes élémentaires, mimiques, bastonnades et déguisements ne manquent jamais d'amuser le spectateur, et sont encore employés aujourd'hui. Schématisme des intrigues, caricature des personnages et fantaisie verbale, lorsqu'il s'agit de faire rire, les dramaturges se souviennent de la farce. Métamorphosée, elle survit.

LES FOURBERIES DE SCAPIN

En 1671, Molière fait représenter une petite comédie en trois actes, *Les Fourberies de Scapin*, reçue par les spectateurs de l'époque comme une farce. Pour faire rire, le dramaturge emprunte les procédés comiques de la farce, et nombre de scènes relèvent directement de ce genre. Dans la scène qui suit, pour se venger, Scapin fait croire à Géronte que des soldats gascons en veulent à sa vie. Il le cache dans un sac et, tout en imitant le patois gascon, lui assène force coups de bâton.

GÉRONTE, SCAPIN

SCAPIN – Cachez-vous : voici un spadassin qui vous cherche. *(En contrefaisant sa voix.)* « Quoi ! jé n'aurai pas l'abantage dé tuer cé Géronte et quelqu'un par charité né m'enseignera pas où il est ? » *(À Géronte, de sa voix ordinaire.)* Ne branlez pas. *(Reprenant son ton contrefait.)* « Cadédis ! jé lé trouberai, sé cachât-il au centre dé la terre. » *(À Géronte, avec son ton naturel.)* Ne vous montrez pas. *(Tout le langage gascon est supposé de celui qu'il contrefait, et le reste de lui.)* « Oh, l'homme au sac ! – Monsieur. – Jé té vaille un louis, et m'enseigne où put être Géronte. – Vous cherchez le seigneur Géronte ? – Oui, mordi ! jé lé cherche. – Et pour quelle affaire, monsieur ? – Pour quelle affaire ? – Oui. – Jé beux, cadédis ! lé faire mourir sous les coups de vaton. – Oh ! monsieur, les coups de bâton ne se donnent point à des gens comme lui, et ce n'est pas un homme à être traité de la sorte. – Qui, cé fat dé Géronte, cé maraud, cé vélître ? – Le seigneur Géronte, monsieur, n'est ni fat, ni maraud, ni bélître, et vous devriez, s'il vous plaît, parler d'autre façon. – Comment, tu mé traîtes, à moi, avec cette hautur ? – Je défends, comme je dois, un homme d'honneur qu'on offense. – Est-ce que tu es des amis dé cé Géronte ? – Oui, monsieur, j'en suis. – Ah ! cadédis ! tu es de ses amis, à la vonne hure ! *(Il donne plusieurs coups de bâton sur le sac.)* Tiens ! boilà cé que jé té vaille pour lui. – Ah, ah, ah, ah, monsieur ! Ah, ah, monsieur ! tout beau ! Ah, doucement, ah, ah, ah, ah ! – Va, porte-lui cela de ma part. Adiusas ! » Ah ! diable soit le Gascon ! Ah ! *(En se plaignant et remuant le dos, comme s'il avait reçu les coups de bâton.)*

GÉRONTE, *mettant la tête hors du sac* – Ah ! Scapin, je n'en puis plus.

SCAPIN – Ah ! monsieur, je suis tout moulu, et les épaules me font un mal épouvantable.

GÉRONTE – Comment ? c'est sur les miennes qu'il a frappé.

SCAPIN – Nenni, monsieur, c'était sur mon dos qu'il frappait.

GÉRONTE – Que veux-tu dire ? J'ai bien senti les coups, et les sens bien encore.

SCAPIN – Non, vous dis-je, ce n'était que le bout du bâton qui a été jusque sur vos épaules.

GÉRONTE – Tu devais donc te retirer un peu plus loin, pour m'épargner…

SCAPIN *lui remet la tête dans le sac* – Prenez garde. En voici un autre qui a la mine d'un étranger.

Molière, *Les Fourberies de Scapin*, acte III, scène 2 (extrait).

ON PURGE BÉBÉ

On purge Bébé est une petite comédie de Georges Feydeau, dramaturge de la fin du XIXe siècle. Follavoine, fabricant de porcelaine, reçoit un invité important, Chouilloux, pour parler affaires. Mais l'épouse de Follavoine, Julie, vient tout bouleverser. Leur fils Toto, constipé, refuse de boire sa purge, et ne l'avalera que si quelqu'un fait de même : Chouilloux est la victime désignée…

FOLLAVOINE, CHOUILLOUX, JULIE, TOTO

JULIE, *son verre à la main.* – Tenez, cher monsieur Chouilloux !…
*Elle lui porte le verre aux lèvres juste au moment où il dit :
« … D'un mal élevé ! Oh ! » de sorte qu'en aspirant le « oh ! » il
boit malgré lui une gorgée.*
CHOUILLOUX – Ah ! pouah !
JULIE, *accompagnée de Toto, avançant sur Chouilloux le verre tendu.* –
Soyez gentil, buvez un peu pour faire plaisir à Toto !
Elle lui porte à nouveau le verre aux lèvres.
CHOUILLOUX, *crachant.* – Ah ! pfutt ! *(Reculant vers la droite à
mesure que Julie avance sur lui.)* Mais non, madame ! mais non,
je vous remercie !
FOLLAVOINE – Ah ! çà ! tu perds la tête !
JULIE, *à Chouilloux* – Oh ! la moindre des choses, voyons ! La
moitié du verre, ça suffira !
*Même jeu avec le verre, contre lequel Chouilloux s'efforce de se
défendre.*
CHOUILLOUX – Mais, non, madame ! je vous en prie !… Je suis
désolé !…
FOLLAVOINE – Tu n'y penses pas ! M. Chouilloux n'est pas ici
pour se purger ! […]

CHOUILLOUX – D'ailleurs, madame, je vous assure !… je ne sais même pas jusqu'à quel point une purge est bonne pour monsieur votre fils…

JULIE, *entre chair et cuir à Chouilloux* – Ah ! non, je vous en prie, hein !… Si maintenant vous allez dire des choses pareilles devant cet enfant ! Ah ! bien, c'est complet !

FOLLAVOINE – Julie !… Julie !…

CHOUILLOUX – Je vous demande pardon, madame ! Si je vous dis ça !…

JULIE, *sous le nez de Chouilloux* – Vous voyez tout le mal que j'ai avec Bébé ! toute la diplomatie que je suis obligée d'employer !…

FOLLAVOINE – Julie ! Julie !

JULIE, *sans lâcher prise* – Si vous allez, par-dessus le marché, lui persuader maintenant qu'il ne doit pas prendre sa purge !

CHOUILLOUX – Mais non ! Mais non !… Seulement je croyais…

JULIE, *lui mangeant positivement le nez* – Ah ! « Vous croyiez ! Vous croyiez ! »

FOLLAVOINE – Julie ! Julie !

JULIE – Qu'est-ce que vous en savez ? […] C'est vrai, ça ! Est-ce que je me mêle, moi, si sa femme le fait cocu avec son cousin Truchet ?

Elle dépose le verre qu'elle a en main sur le guéridon.

CHOUILLOUX, *bondissant* – Cocu ! […] Qu'est-ce que vous avez dit ?… Cocu !… Ma femme ! Truchet !…

FOLLAVOINE – C'est faux, monsieur Chouilloux ! C'est faux !

CHOUILLOUX, *écartant Follavoine* – Laissez-moi ! Laissez-moi ! Ah !… Ah ! j'étouffe !

Il aperçoit le verre laissé primitivement par Julie sur la table, se précipite dessus et en avale gloutonnement le contenu.

FOLLAVOINE – Ah !

TOTO, *ravi en voyant ce jeu de scène, désignant Chouilloux à sa mère* – Maman ! Maman !

JULIE, *de sa place, à Chouilloux, pendant que celui-ci avale sa purge* – Eh ! bien… Vous ne pouviez pas faire ça tout de suite ?… au lieu de faire toutes ces histoires !

FOLLAVOINE, *affolé* – Monsieur Chouilloux, je vous en prie !

(La physionomie de Chouilloux brusquement se contracte ; ses yeux

deviennent hagards ; c'est la purgation qui lui tourne sur le cœur ; il jette des regards éperdus à droite et à gauche ! [...] Chouilloux se précipite dans la chambre.)

Georges Feydeau, *On purge Bébé*, scène 7.

UBU ROI

Représentée en 1896, qualifiée de « bombe comique », la pièce d'Alfred Jarry met en scène un horrible couple avide de pouvoir. Employés de manière détournée, les procédés comiques font d'*Ubu Roi* une farce tragique.

La grande salle du palais. PÈRE UBU, MÈRE UBU, OFFICIERS ET SOLDATS, GIRON, PILE, COTICE, NOBLES *enchaînés*, FINANCIERS, MAGISTRATS, GREFFIERS

PÈRE UBU – Apportez la caisse à Nobles et le crochet à Nobles et le couteau à Nobles et le bouquin à Nobles ! Ensuite, faites avancer les Nobles.
On pousse brutalement les Nobles.
MÈRE UBU – De grâce, modère-toi, Père Ubu.
PÈRE UBU – J'ai l'honneur de vous annoncer que pour enrichir le royaume je vais faire périr tous les Nobles et prendre leurs biens.
NOBLES – Horreur ! à nous, peuple et soldats !
PÈRE UBU – Amenez le premier Noble et passez-moi le crochet à Nobles. Ceux qui seront condamnés à mort, je les passerai dans la trappe, ils tomberont dans les sous-sols du Pince-Porc et de la Chambre-à-sous, où on les décervèlera. – *(Au Noble.)* Qui es-tu, bouffre ?
LE NOBLE – Comte de Vitepsk.
PÈRE UBU – De combien sont tes revenus ?
LE NOBLE – Trois millions de rixdales.
PÈRE UBU – Condamné ! *(Il le prend avec le crochet et le passe dans le trou.)*
MÈRE UBU – Quelle basse férocité !
PÈRE UBU – Second Noble, qui es-tu ? *(Le Noble ne répond rien.)* Répondras-tu, bouffre ?

LE NOBLE – Grand-duc de Posen.

PÈRE UBU – Excellent ! Excellent ! Je n'en demande pas plus long. Dans la trappe. Troisième Noble, qui es-tu ? Tu as une sale tête.

LE NOBLE – Duc de Courlande, des villes de Riga, de Revel et de Mitau.

PÈRE UBU – Très bien ! Très bien ! Tu n'as rien autre chose ?

LE NOBLE – Rien.

PÈRE UBU – Dans la trappe, alors. [...] Qu'as-tu à pigner, Mère Ubu ?

MÈRE UBU – Tu es trop féroce, Père Ubu.

PÈRE UBU – Eh ! je m'enrichis. Je vais faire lire MA liste de MES biens. Greffier, lisez MA liste de MES biens.

LE GREFFIER – Comté de Sandomir.

PÈRE UBU – Commence par les principautés, stupide bougre !

LE GREFFIER – Principauté de Podolie, grand-duché de Posen, duché de Courlande, comté de Sandomir, comté de Vitepsk, palatinat de Polock, margraviat de Thorn.

PÈRE UBU – Et puis après ?

LE GREFFIER – C'est tout.

PÈRE UBU – Comment, c'est tout ! Oh bien alors, en avant les Nobles, et comme je ne finirai pas de m'enrichir je vais faire exécuter tous les Nobles, et ainsi j'aurai tous les biens vacants. Allez, passez les Nobles dans la trappe. *(On empile les Nobles dans la trappe.)* Dépêchez-vous plus vite, je veux faire des lois maintenant.

PLUSIEURS – On va voir ça.

PÈRE UBU – Je vais d'abord réformer la justice, après quoi nous procéderons aux finances.

PLUSIEURS MAGISTRATS – Nous nous opposons à tout changement.

PÈRE UBU – Merdre. D'abord les magistrats ne seront plus payés.

MAGISTRATS – Et de quoi vivrons-nous ? Nous sommes pauvres.

PÈRE UBU – Vous aurez les amendes que vous prononcerez et les biens des condamnés à mort.

UN MAGISTRAT – Horreur.

DEUXIÈME – Infamie.

TROISIÈME – Scandale.

QUATRIÈME – Indignité.

TOUS – Nous nous refusons à juger dans des conditions pareilles.

PÈRE UBU – À la trappe les magistrats ! *(Ils se débattent en vain.)*

MÈRE UBU – Eh ! Que fais-tu, Père Ubu ? Qui rendra maintenant la justice ?

PÈRE UBU – Tiens ! moi. Tu verras comme ça marchera bien.

MÈRE UBU – Oui, ce sera du propre.

PÈRE UBU – Allons, tais-toi, bouffresque. Nous allons maintenant, messieurs, procéder aux finances.

Alfred Jarry, Ubu Roi, acte III, scène 2 (extrait).

Gravure sur bois d'Alfred Jarry pour l'édition de 1896 au Mercure de France.

Véritable portrait de Monſieur Ubu.

DE QUOI S'AGIT-IL ? OU LA MÉPRISE

Poète et auteur dramatique contemporain, Jean Tardieu écrit de petites comédies dans lesquelles, à travers des jeux de mots insolites, il s'interroge sur le langage. Comme chez Alfred Jarry, derrière le comique transparaît une profonde inquiétude. Dans quelle mesure les mots sont-ils fiables ? Traduisent-ils nos pensées ou les trahissent-ils ? Si Monsieur et Madame Poutre se trouvent clairs, ce n'est pas l'avis du juge qui ne comprend rien à ce que raconte ce couple, venu témoigner **contre**, ou en faveur d'une personne, ou d'une chose, mal **définie**.

LE JUGE, *il est aussi médecin, maire, confesseur, etc.*
MONSIEUR POUTRE, *méticuleux et craintif.*
MADAME POUTRE, *épouse du précédent. Un peu paysanne.*
LE GREFFIER, *personnage muet, « tapant » sur un clavier de machine à écrire également muet.*

LE JUGE, *geste évasif* – Alors, je répète ma question : quand l'avez-vous vu pour la première fois ?
MADAME POUTRE, *réfléchissant* – Quand je l'ai vu… pour la première fois ? Eh ! ben, c'était il y a dix ans environ.
                    Le greffier commence à taper silencieusement.
LE JUGE – Nous notons, nous notons. Bon. L'avez-vous revu souvent depuis ?
MADAME POUTRE – Bien sûr ! Même qu'il a fini par s'installer tout à fait ! Notez qu'on ne le voyait jamais que pendant le jour. Le soir, plus personne !
LE JUGE – Étiez-vous chargée de le nourrir ?
MADAME POUTRE, *l'air étonné* – Qui ça ?
MONSIEUR POUTRE, *à sa femme* – On te demande, Monsieur le Proviseur te demande s'il était nourri, s'il était nourri par toi, par nous ?… Enfin, ne fais pas la butée !… Puisqu'on l'avait recueilli, tu sais bien qu'on était tenu de le nourrir !
MADAME POUTRE, *au juge* – Ah, Docteur, pardon : Colonel : c'était bien plutôt lui qui nous nourrissait, qui nous réchauffait en tout cas !

LE JUGE, *sursautant* – Qui vous réchauffait ? Comment cela ?

MADAME POUTRE – Ben, pardi ! C'est-y pas toujours comme ça ? S'il était pas là, nous autres, on crèverait de froid, pas vrai ?

MONSIEUR POUTRE – Ça, c'est vrai. Moi, quand je le vois, je suis tout ragaillardi !

LE JUGE, *haussant les épaules* – Il y a dix ans. Bon. Nous notons. Dix ans : ce n'est pas d'hier ! Et pouviez-vous vous douter de quelque chose, dès ce moment ?

MADAME POUTRE, *péremptoire* – Je ne m'doutais de rin du tout !

LE JUGE – Comment cela s'est-il passé ? La première fois ?

MADAME POUTRE – Eh ben, voilà. J'étais dans la cuisine, à ramasser des pommes de pin pour la soupe. On était en décembre. Alors il faisait une chaleur lourde, comme quand c'est qu'on chauffe beaucoup pour lutter contre le froid. Mon mari, ici présent, était absent comme toujours, c'est pourquoi il peut en témoigner devant vous. Et tout par un coup, voilà qu'il est entré !

LE JUGE – Par où ?

MADAME POUTRE – Par la fenêtre. Il est entré comme ça, brusquement. Il a fait le tour de la pièce. Il s'est posé tantôt sur une casserole de cuivre, tantôt sur une carafe et puis il est reparti comme il était venu !

LE JUGE – Sans rien dire ?

MADAME POUTRE – Sans rien dire.

LE JUGE, *sévèrement* – Comment ? Comment ? Je ne comprends plus : vous venez ici pour déposer une plainte…

MADAME POUTRE, *docile mais l'interrompant* – Une plainte en sa faveur, oui Docteur !

LE JUGE, *avec vivacité* – Ne m'interrompez pas ! Ne m'appelez pas : Docteur ni Monsieur le Proviseur ; appelez-moi « Mon Père » ! Donc vous déposez contre lui et vous allez prétendre que sa vue vous ragaillardit, vous réchauffe, ou je ne sais quoi d'aussi absurde ! […] Racontez-moi comment les choses se sont passées, le jour de l'événement !

MONSIEUR POUTRE – Eh bien, voilà : comme ma femme vient de vous le dire, je n'étais pas là, j'étais absent.

Le greffier recommence à taper avec précaution, du bout des doigts.

LE JUGE – Alors, comment pouvez-vous témoigner ? En voilà encore une nouveauté !

MADAME POUTRE, *intervenant* – C'est que, Monsieur le Curé, moi je me rappelle plus rien du tout, mais comme je lui avais tout raconté et que lui, il a une mémoire d'éléphant, alors…

LE JUGE, *haussant les épaules* – Drôle de témoignage ! Enfin, si nous ne pouvons pas faire autrement ! Allons *(résigné :)* racontez !

MONSIEUR POUTRE – Alors voilà. J'étais allé à la pêche dans la rivière […]. Alors, juste pendant que j'étais pas là, ni ma femme non plus d'ailleurs…

LE JUGE, *l'interrompant* – Pardon ! Vous venez de m'affirmer l'un et l'autre que si vous n'étiez pas là, par contre votre femme y était !

MONSIEUR POUTRE – C'est-à-dire qu'elle était dans la maison, mais elle n'était pas là, à l'endroit même où ça s'est passé, vous comprenez !

LE JUGE – Mais finalement, où ça c'est passé ?

MONSIEUR POUTRE – Ça s'est passé au jardin.

LE JUGE – Bon. Alors, de la maison, elle pouvait, je suppose, voir ce qui se passait au jardin ?

MADAME POUTRE – Ça, point du tout, Monsieur mon Père ! Non, ça, je peux vous le dire : de d'là où j'étais dans la maison, c'est-à-dire de la cuisine, je pouvais rien voir au jardin ! […]

LE JUGE – Alors, comment avez-vous pu raconter quoi que ce soit au… à votre… au témoin, enfin ?

MADAME POUTRE – C'est que, voyez-vous, je lui ai raconté les effets.

LE JUGE – Quels effets ?

MADAME POUTRE – Ben, les effets de ce qui s'est passé.

LE JUGE – Alors, racontez !

MADAME POUTRE – Ah mais non ! […] C'est pas à moi à raconter, puisque je vous dis que j'ai rien vu.

LE JUGE – Alors, comment faire, puisque lui, de son côté, votre mari, n'était pas là ?

MADAME POUTRE – Ça fait rien. Lui y raconte mieux que moi, il a plus de mémoire, ou d'imagination, je ne sais pas, moi !

LE JUGE, *avec un agacement grandissant et une insistance sarcastique* – Alors, Monsieur Poutre, veuillez me raconter à moi qui n'étais pas là, l'événement qui s'est produit en votre absence et qui vous a été rapporté par votre femme, bien qu'elle n'y ait pas assisté !…

Jean Tardieu, *De quoi s'agit-il ? ou La Méprise* (extrait), dans *La Comédie du langage*, Gallimard, coll. « Folio Théâtre », pp. 65-76.

LA LEÇON

Face à face, un professeur fou et sa jeune élève. La leçon débute bien, mais le professeur, enfermé dans un discours que lui seul comprend, s'énerve devant cette élève qu'il hypnotise avec son flot de paroles. Tout dérape, et la jeune fille sera assassinée. Avec *La Leçon* d'Eugène Ionesco, représentée en 1951, on atteint les limites de la comédie. Si certains aspects relèvent de la farce, si le spectateur rit encore, l'inquiétude gagne. La farce s'achève en tragédie. Dans cet extrait, l'envoûtement de la jeune fille ne fait que commencer, et se traduit par un mal de dents et un endormissement croissants. Quant au maître, il est de plus en plus incompréhensible et violent.

LE PROFESSEUR, L'ÉLÈVE

L'ÉLÈVE – « Les… » comment dit-on « roses », en roumain ?

LE PROFESSEUR – Mais « roses », voyons.

L'ÉLÈVE – Ce n'est pas « roses » ? Ah, que j'ai mal aux dents…

LE PROFESSEUR – Mais non, mais non, puisque « roses » est la traduction en oriental du mot français « roses », en espagnol « roses », vous saisissez ? En sardanapali « roses »…

L'ÉLÈVE – Excusez-moi, monsieur, mais… Oh, ce que j'ai mal aux dents… je ne saisis pas la différence.

LE PROFESSEUR – C'est pourtant bien simple ! Bien simple ! À condition d'avoir une certaine expérience, une expérience technique et une pratique de ces langues diverses, si diverses malgré qu'elles ne présentent que des caractères tout à fait identiques. Je vais tâcher de vous donner une clé…

L'ÉLÈVE – Mal aux dents…

LE PROFESSEUR – Ce qui différencie ces langues, ce ne sont ni les mots, qui sont les mêmes absolument, ni la structure de la phrase qui est partout pareille, ni l'intonation, qui ne présente pas de différences, ni le rythme du langage… ce qui les différencie… M'écoutez-vous ?

L'ÉLÈVE – J'ai mal aux dents.

LE PROFESSEUR – M'écoutez-vous, mademoiselle ? Aah ! nous allons nous fâcher.

L'ÉLÈVE – Vous m'embêtez, monsieur ! J'ai mal aux dents.

LE PROFESSEUR – Nom d'un caniche à barbe ! Écoutez-moi !

L'ÉLÈVE – Eh bien... oui... oui allez-y...

LE PROFESSEUR – Ce qui les différencie les unes des autres, d'une part, et de l'espagnole, avec un e muet, leur mère, d'autre part... c'est...

L'ÉLÈVE, *grimaçante* – C'est quoi ? [...]

LE PROFESSEUR – N'interrompez pas ! Ne me mettez pas en colère ! Je ne répondrais plus de moi. Je disais donc... Ah, oui, les cas exceptionnels, dits de distinction facile... ou de distinction aisée... ou commode... si vous aimez mieux... je répète ; si vous aimez, car je constate que vous ne m'écoutez plus...

L'ÉLÈVE – J'ai mal aux dents. [...]

LE PROFESSEUR – C'est pourtant bien simple : pour le mot « Italie », en français nous avons le mot « France » qui en est la traduction exacte. « Ma patrie est la France. » Et « France » en oriental : « Orient » ! « Ma patrie est l'Orient. » Et « Orient » en portugais : « Portugal » ! L'expression orientale : « ma patrie est l'Orient » se traduit donc de cette façon en portugais : ma patrie est le Portugal » ! Et ainsi de suite...

L'ÉLÈVE – Ça va ! Ça va ! J'ai mal...

LE PROFESSEUR – Aux dents ! Dents ! Dents !... Je vais vous les arracher, moi ! Encore un autre exemple. [...]

L'ÉLÈVE – Oh, là, mes dents...

LE PROFESSEUR – Silence ! Ou je vous fracasse le crâne !

L'ÉLÈVE – Essayez donc ! Crâneur !

Le professeur lui prend le poignet, le tord.

L'ÉLÈVE – Aïe !

LE PROFESSEUR – Tenez-vous donc tranquille ! Pas un mot !

Eugène Ionesco, *La Leçon*, Gallimard, coll. « Folio Théâtre », pp. 70-75.

Bibliographie

D'AUTRES FARCES

La Farce du Cuvier.
Tabarin, *Farces*.
Molière, *La Jalousie du Barbouillé*.
Molière, *Le Médecin volant*.
Le Docteur amoureux.

DES COMÉDIES À DÉCOUVRIR

Molière, *Les Précieuses ridicules*.
Molière, *Sganarelle ou le Cocu imaginaire*.
Molière, *Les Fourberies de Scapin*.
Molière, *Le Malade imaginaire*.
Feydeau, Georges, *Mais n'te promène donc pas toute nue*.
Feydeau, Georges, *On purge Bébé*.
Jarry, Alfred, *Ubu Roi*.
Ionesco, Eugène, *La Leçon*.

À TRAVERS LE MOYEN ÂGE

Fabliaux du Moyen Âge adaptés pour le théâtre, L'École des loisirs, 1982.
Le Roman de Renart, Hachette, coll. « Bibliocollège », 1999.
Les Romans de la Table Ronde.
Tristan et Iseult.

Imprimé en Italie par

LA TIPOGRAFICA VARESE
Società per Azioni

Varese
Dépôt légal : mars 2008
Collection n° 46 - Edition n° 10
16/7957/0